L'ÉTOILE FILANTE DU FOOTBALLEUR

Mario DORÉ

L'étoile filante du footballeur

Éditions Bénévent

Première partie

Le secret

Mes parents organisaient toujours un souper de famille le dimanche soir. Ils affirmaient que c'était important de dialoguer ensemble sur des sujets variés. D'aussi loin que je puisse me rappeler, nous considérions ce souper comme la fête de la semaine. La table s'ornait de la plus belle nappe et des plus beaux couverts. Ma mère y saupoudrait des confettis en forme de cœur de toutes les couleurs.

— Une pluie de petites douceurs, disait-elle.

Maman profitait de ce souper pour organiser et distribuer les différentes tâches ménagères de la semaine, alors que papa, lui, présidait, au début du repas, à ce qu'il appelait la *période d'ajustement d'attitude.* Période pendant laquelle, il réglait tous les petits incidents et mésententes de la dernière semaine.

Nous bénéficiions tous de ce repas pour partager nos sujets favoris ainsi que nos découvertes : mes sœurs parlaient *cinéma* avec maman, mon frère s'enflammait pour ses *découvertes musicales,* alors que papa et moi discutions le plus souvent *sport.*

Les amis de mes parents s'amusaient beaucoup de leur habitude à préparer avec tant de soin et de régularité ce festin hebdomadaire. Ils les taquinaient en disant que tous les événements de la vie leur servaient de prétexte à la fête : un nouveau bourgeon, une pluie torrentielle, un coucher de soleil, un bon résultat scolaire. Invariablement, mes parents répondaient :

— C'est notre façon de dire *Oui à la vie !* De vivre en harmonie avec le quotidien, de ne pas résister à ce qui arrive, d'aimer l'instant présent. Le bonheur se trouve là où nous sommes.

Ce soir, la conversation porte sur l'arrivée du printemps, le monde s'en réjouit. La pluie de petits cœurs s'est transformée, pour l'occasion, en averse de fleurs multicolores nous laissant deviner les prochains bourgeons. Véronique n'aura plus à mettre ses bottes, maman n'aura plus à convaincre Laurence d'attacher son col de manteau, Alexandre ne se plaindra plus d'avoir à dégivrer les vitres de son auto et papa ne nous parlera plus du coût du chauffage. Moi, l'arrivée du printemps m'attriste un peu. Je ne pourrai plus patiner.

Il y avait aussi les autres soupers de famille qui se tenaient chez ma grand-mère. Dans la plupart des familles de mes amis, ces rassemblements avaient lieu soit à la Noël ou au Jour de l'An. Chez nous la grande fête coïncidait avec le jour de Pâques passé chez ma grand-mère qui recevait pour l'occasion ses quatre enfants. Il y avait mes oncles Bernie, Hector et ma tante Philomène. Il y avait aussi mes cousins et cousines que je ne connaissais pas beaucoup parce qu'on ne les voyait pas souvent. Mais il y avait surtout mon oncle Pierrot, le mari de Philomène. Il m'impressionnait beaucoup, il était très grand et lorsqu'il parlait, il le faisait avec une voix forte, trop forte, comme s'il était fâché. De plus, quand il te parlait, ses yeux ne te quittaient jamais. Intimidé, je baissais les yeux à chaque fois. Mes cousins lui obéissaient toujours. Maman disait que c'est parce qu'il était très sévère. J'étais bien content que mes parents n'aient pas été si sévères. Grand-maman avait cuisiné, pour l'occasion, un saumon farci. Tout le monde s'en délectait. Quand je vais chez grand-mère, je ne parle pas beaucoup, mais aujourd'hui, quand tante Philomène m'a demandé ce que je ferais plus tard, je n'ai pas hésité une seule seconde. Il y a eu dans ma tête une image très claire, j'ai revu les médailles de natation de mon frère et me suis souvenu des prouesses de Ronaldhino au dernier *Mundial de futbol.*

— Quand je serai grand, je serai un joueur de soccer professionnel, avais-je dit fièrement.

Tante Philomène est restée bouche bée alors que tout le monde m'a regardé. Puis, mon oncle Pierrot a commencé à parler de sa voix forte, trop forte. J'ai regretté tout de suite d'avoir dit ce que je voulais faire plus tard. D'ailleurs, j'étais surpris d'avoir dit cela. C'était sorti à mon insu.

— Joueur de soccer professionnel ! Voyons donc ! Sais-tu que c'est toute une bande de drogués au soccer ? Ils prennent des stéroïdes de plus en plus sophistiqués de sorte qu'à chaque année ils doivent inventer de nouveaux tests de dépistage. Les athlètes dépensent des fortunes pour se procurer de nouvelles drogues. De toute façon, il n'existe pas de joueur de soccer canadien de niveau international. Tu t'es trompé de sport, mon jeune !

J'étais paralysé de peur et de honte sur ma chaise. Mon père, généralement très calme, a regardé mon oncle et a dit sèchement :

— Allons donc Pierrot, ne peux-tu pas faire attention aux rêves d'un enfant sans tout défaire avec tes propos ? Ne te souviens-tu pas de tes rêves d'enfant ? Ne te rappelles-tu pas vouloir devenir astronaute, médecin, joueur de hockey ?

Pierrot, rouge de colère, s'est emporté comme si sa vie en dépendait :

— Sois donc réaliste, il n'y a pas de joueur canadien de calibre international, tu ne peux quand même pas nier ça. Tu crois que ton fils sera le premier ? Si tu veux que ton fils se berce d'illusions, c'est ton affaire. Mais moi, si jamais mon fils me dit qu'il veut être athlète professionnel, je m'inquiéterai tout de suite pour les drogues, les « trips » de vedette, les groupies. Leur carrière terminée, ils se retrouvent à 35 ans ne sachant toujours pas écrire.

— T'exagères tout! Il a neuf ans, il exprime son rêve. On est encore loin de l'athlète professionnel. Il me semble que ce serait mieux de l'encourager plutôt que de discréditer honteusement ce sport et les athlètes qui le pratiquent.

— Maudit que t'es idéaliste. Fais donc ce que tu veux. Les joueurs de soccer, pour la grande majorité, finissent leur carrière sans le sou et ignorants. Ça, c'est la réalité!

Mon père, sous le regard soutenu de ma mère qui voulait sauver la fête, n'a plus dit un mot sur le sujet. Il m'a fait un clin d'œil rassurant et a entamé une discussion avec Alexandre sur le jazz.

J'ai vu des larmes dans les yeux de grand-maman, tout comme ma mère, elle n'aimait pas la chicane.

De retour à la maison, mon père m'a demandé si je pouvais, ou si je savais garder un secret.

— C'est pas facile de garder un secret, disait-il.

J'ai réfléchi et j'ai dit:

— Oui, je peux garder un secret.

Mon père, rempli de tendresse, s'est approché de moi, m'a félicité d'avoir exprimé mon opinion. Puis, il m'a assuré qu'il m'aiderait à devenir un joueur de soccer professionnel si c'était là mon rêve.

Naïvement, je lui ai demandé:

— Est-ce que c'est ça le secret?

— Non, non, ce n'est pas ça le secret! Écoute, c'est important. Peu de gens connaissent le secret:

— *Ne raconte tes rêves qu'aux personnes dignes de ta confiance, elles t'aideront à les réaliser.*

10

— Comment savoir qui est digne de ma confiance ?

— Fais confiance aux personnes qui utilisent les « E » et évite celles qui utilisent les « D ».

— C'est quoi les « E » et les « D » ?

— C'est facile Benjamin. Les « E » sont les premières lettres des mots : Écouter, Encourager, Entraîner, Exprimer.

— Et les « D » ?

— Les premières lettres des mots : Décourager, Dénigrer, Défendre, Douter. Les gens dignes de ta confiance veulent ta réussite.

— Pourquoi y a-t-il des gens qui ne veulent pas que je réussisse ?

— Simplement, parce qu'ils ont renoncé à leurs rêves d'enfants. Ils ne voudraient pas que tu réalises les tiens.

— C'est ça le secret, papa ?

— C'est le premier. Il y en a bien d'autres pour réaliser son rêve.

Mes années de soccer

Mon oncle Pierrot n'aura plus à s'en faire pour mon éventuelle carrière de footballeur canadien. J'habite, depuis deux ans, en Amérique Centrale dans un tout petit pays où le soccer domine outrageusement tous les autres sports. Au Costa Rica, il n'y en a que pour le football.

Mes parents m'ont conseillé de poursuivre mes études universitaires. J'ai choisi de les compléter ici plutôt qu'au Québec et, par le fait même, je joue pour le Saprissa[1] de San Jose et non pour l'Impact de Montréal. *El monstro morado* occupe dans le cœur des costariciens la même place que *La sainte flanelle*[2] dans le cœur des québécois. Deux équipes avec un passé phénoménal nourri par un mythe populaire très fort.

Au cours des dix dernières années, mon jeu a progressé et j'ai été membre de plusieurs équipes d'étoiles. Je joue comme *delantero* et l'équipe compte sur ma rapidité et mes buts pour gagner des matches.

Mais voilà, depuis ma promotion à la division #1, je n'arrive plus à me démarquer, je n'arrive plus à compter. Pourtant, dans

---

1. http://www.saprissa.co.cr/
2. www.canadiens.com

les pratiques, je travaille bien et mon jeu atteint un niveau élevé. Selon les dires de mon entraîneur, je suis le seul responsable de mon problème. J'essaie de trop en faire et plus je force le jeu, plus je commets des erreurs. Depuis le mois dernier, je pense avoir atteint le fond du baril car je ne joue plus qu'occasionnellement. L'entraîneur, monsieur Alvarado, ne donne jamais de chances aux joueurs. Le Saprissa doit gagner et lui, dit-il, est payé pour le faire gagner. Alors, si tu es dans une léthargie ou encore dans une mauvaise passe, il s'en fout carrément. Tout ce qui compte pour lui, c'est la victoire. La rumeur veut que je sois échangé à l'équipe de San Ramon. Ce serait désastreux car les recruteurs européens ne s'intéressent qu'à Saprissa, jamais aux équipes de dernière place. J'ai bien peur que mon rêve de jouer en Europe s'envole en fumée. Je me sens abattu et découragé. Mon avenir, pourtant si prometteur, s'assombrit rapidement, comme le ciel dans la saison des pluies. Je ne vois pas d'issues. Ma famille est repartie pour le Québec, et depuis, je n'ai pas eu la chance d'échanger comme avant. Ça me manque. Je n'ai pas su m'entourer de personnes de confiance, comme mon père me l'avait conseillé. Je me croyais tellement bon que je ne pouvais pas m'imaginer avoir besoin d'aide. Aujourd'hui, je réalise que c'est un véritable cercle vicieux : plus je pense à ma situation, plus je m'enlise. Je ne cesse de me tourmenter en envisageant le pire et c'est sans surprise, que j'ai appris la nouvelle de mon échange au Municipal de Libéria dans le Guanacaste. Une équipe de la deuxième division. Mes contre-performances répétées et mon jeu erratique ont provoqué mon départ du Saprissa. J'ai été échangé. J'en suis très attristé.

L'entraîneur du Libéria m'a accueilli avec beaucoup de chaleur. Guatémaltèque d'origine, Alvaro Rodriguez a joué plusieurs années comme professionnel dans son pays. Il a trouvé cet emploi de chef entraîneur après avoir roulé sa bosse un peu partout dans le monde. On dit de lui qu'il est dur, exigeant mais juste avec les joueurs. Que sous son autorité les joueurs talentueux s'améliorent ou voient leur carrière se terminer. Toute cette réputation m'intimidait grandement.

D'ailleurs, notre première conversation m'avait laissé perplexe.

— Dis-moi, Benjamin, il faudrait que tu réfléchisses à ce que tu veux vraiment.

— Je sais ce que je veux, monsieur ! Je veux jouer.

— Alors, joue, bon sang, joue !

Fin de la discussion. Ça paraissait si simple, tu veux jouer, joue !

Les semaines se sont succédées et mon jeu ne s'est pas amélioré. Pire, mon attitude, exemplaire autrefois, avait cédé la place à beaucoup de nonchalance. Non seulement, je n'arrivais plus à bien jouer, je n'arrivais plus à m'enthousiasmer. Existe-t-il un problème plus important que de manquer d'enthousiasme lorsque tu te prétends athlète professionnel ? Après une cuisante défaite où j'avais mal paru, Alvaro est venu me parler :

— Je t'observe depuis ton arrivée ici, mon gars, et je ne sais pas ce qui se passe dans ta tête, mais je sais que ça ne va pas. Je suis très déçu de ton attitude de laisser-aller des dernières semaines. Je te pensais plus résolu, enfin, je me suis peut-être trompé.

Je comprenais très bien son désappointement. Cette déception me hantait, me gênait aussi.

— Ah oui ? Lui ai-je répliqué en feignant l'indifférence.

Sans s'occuper de mon attitude désinvolte, il a continué :

— Mais, j'ai peut-être une solution pour toi. À Santa Cecilia, un village près du volcan Orosi, vit un vieil homme reconnu pour la justesse de ses conseils. Il pourrait peut-être t'aider ?

Plein d'ironie et d'arrogance, je me suis surpris à lui répondre :

— Sait-il jouer au football ?

— Écoute Benjamin, le fait de savoir jouer n'a pas fait de toi nécessairement un bon joueur, non ?

Il avait parfaitement raison. Ma déception avait eu raison de mon attitude. Je m'enlisais. J'étais au bord des larmes et Alvaro l'a pressenti :

— Benjamin, tout n'est pas perdu. Donne-toi l'occasion de parler au vieil homme. Tu vaux bien cette dernière chance.

Je ne sais pas ce que cette phrase a déclenché, mais le souvenir des paroles de mon père a refait surface. Oui, j'irais voir le vieil homme, et je déciderais peut-être de lui confier mon rêve, s'il n'était pas déjà trop tard.

Le vieil homme

De Libéria, l'interaméricaine nous conduit jusqu'à La Cruz. De là, il faut prendre la route secondaire qui traverse Inocentes, longe les flancs du Volcan Orosi et rejoint finalement le petit village de Santa Cecilia. Les adresses et les noms de rue n'existent pas au Costa Rica. La surprise et les difficultés du début pour me retrouver se sont transformées en habitude et aujourd'hui, je réussis à me débrouiller aussi bien que les Ticos[2].

Après avoir questionné plusieurs habitants, m'être perdu et retrouvé, je me suis engagé dans une grande allée, étroite, bordée d'hibiscus faisant plus de trois mètres de hauteur. Le petit chemin ombragé menait à la maison du vieil homme. La nature y était tout à fait luxuriante, on aurait dit un jardin botanique avec son immense citronnier, ses crotons, ses bananiers, ses palmiers, ses manguiers, ses orangers et bien d'autres arbres et arbustes dont j'ignore les noms.

Don Pedro vivait dans une jolie petite maison construite tout en haut d'une montagne d'où il pouvait, par temps clair, admirer

---

2. Nom donné affectueusement aux costariciens.

le Pacifique. Quand le petit chemin s'est transformé en cour, il était là. J'ai su immédiatement que c'était lui. Il a continué à soigner les nombreuses fleurs qui entouraient sa maison sans même me regarder et m'a demandé :

— Qui cherches-tu ?

— Don Pedro.

— Que lui veux-tu ?

— On m'a dit qu'il pourrait m'aider de ses conseils.

— Il ne faut pas croire tout ce qu'on te dit, jeune homme !

— Le conseil vient d'un ami en qui j'ai confiance.

Don Pedro a arrêté son travail, comme si ma remarque avait constitué le code d'entrée. J'ai pu voir son visage bronzé par le soleil. Il m'observait. Je ne saurais dire pourquoi, mais je sentais de la compassion dans son regard.

— Que viens-tu chercher chez moi ?

— J'ai besoin de conseils. Je suis un joueur de football. Ma carrière périclite. Je n'arrive plus à bien jouer.

— Je suis très occupé, jeune homme.

— S'il vous plaît, don Pedro, accordez-moi votre aide.

— Je n'ai pas le pouvoir de t'aider. Toi, seul, peux transformer ta vie.

— Mais comment ?

— « Connais-toi, toi-même », comme l'a dit Socrate.

— Me connaître, dis-je, tout étonné !

— Tu es un ensemble de forces qui s'expriment, un centre de ressources. Dresse la liste de tes qualités. Fais l'inventaire de tes forces, de tes richesses intérieures. Puis cette *liste,* complète-la, affiche-la, relis-la. La confiance en soi est la juste reconnaissance de ces forces. En complétant ta liste tu nourris tes qualités et, par le fait même, tu affames tes défauts. Sois attentif à tes ressources, tu en possèdes plus que tu ne le penses. Tu dois identifier tes forces et débloquer l'énergie qu'elles renferment. Reviens me voir lorsque ta liste sera complétée. Souviens-toi, tu es un ensemble de forces qui cherchent à s'exprimer.

Sur ces paroles, l'entretien s'est terminé. Don Pedro a rejoint ses fleurs et j'ai repris la route de Libéria résolu à dresser un inventaire de mes qualités.

Pendant le trajet me ramenant chez moi, mon cerveau n'a pas arrêté un seul instant de me bombarder d'images de mes qualités. Le seul message ennuyeux était : que diable cela changerait-il dans ma vie de connaître mes qualités, alors qu'en fait, ma déchéance dépendait plus de mes défauts et de mes erreurs que des forces potentielles qui m'habitaient. D'un autre côté, son affirmation que je sois un centre de forces m'impressionnait. Je n'ai jamais réfléchi à ce que je pourrais être. D'ailleurs, comment définir ce que nous sommes : un être vivant possédant différentes caractéristiques, un corps habité par une âme ou encore une âme ayant choisi un corps ? Bref, je n'étais jamais arrivé à identifier qui j'étais. Et voilà qu'avec un simple exercice, je pouvais commencer à me définir. Je n'y avais même jamais pensé, mais je trouvais rassurant le fait de dire que nous étions un *centre de forces. Je suis :* agréable, accueillant, serviable, etc., etc. J'avais hâte d'arriver chez moi et de me mettre à la recherche de mon identité. Puisque c'est de cela dont il s'agissait.

Au début de l'exercice je trouvais difficile de m'octroyer telle ou telle qualité, alors je fermais les yeux et essayais d'entrevoir dans quelles circonstances j'avais démontré cette qualité. Je faisais l'exercice sans être trop critique et finalement après deux heures de travail, j'ai identifié trente-neuf qualités. Suivant le conseil de don Pedro, j'ai établi deux listes, une que j'ai affichée chez moi à la vue de mes colocataires et une autre que j'ai destinée à mon casier au club.

Dans la semaine qui a suivi, j'ai eu deux surprises. Mon colo-cataire a lu la liste de qualités affichée sur le frigo, m'a dit que cela me ressemblait et a ajouté : honnête.

C'est vrai que je suis honnête. L'expérience s'avérait amusante, alors que je pensais prétentieux le geste d'afficher mes qualités, voilà que ma liste s'enrichissait au contact des autres. La deuxième surprise résidait dans le fait que mon esprit était occupé à réfléchir à qui j'étais. À chaque occasion où je me serais blâmé, je me suis réfugié dans la liste. À la pratique de football, avant de me lancer corps et âme dans l'action, j'ai pris le temps de relire ma liste calmement en réfléchissant à chaque qualité inscrite. Je ne peux pas dire si mon entraînement s'est mieux déroulé, mais, moi, je me suis senti bien. Je pense que c'est ça qui est important, au fond, être bien.

J'avais hâte de retrouver don Pedro.

Un réseau

Les deux heures de route me conduisant à la maison de don Pedro m'ont paru moins longues. La route, parsemée d'immenses trous et jalonnée de ponts inquiétants, qui généralement m'impatiente, m'a laissé indifférent. J'avais hâte d'entendre la voix du don, une voix apaisante et chaude. J'aimais déjà cette voix. Par elle, les mots pénétraient en moi avec douceur. Sa voix me rappelait la belle voix de mon père. Il y avait longtemps que je ne m'étais senti si léger, si heureux.

Don Pedro, occupé à ses fleurs, m'a accueilli avec un sourire chaleureux et une poignée de main amicale. Je brûlais d'envie de le questionner sur tout ce que j'avais vécu dans ma dernière semaine : comment se fait-il qu'écrire mes qualités rende ma vie plus légère, comment se fait-il que les gens, au départ méfiants, ne m'en veulent pas de l'écrire mais au contraire la complètent, comment se fait-il qu'un exercice si banal ait déjà accompli des changements en moi ?

Don Pedro s'est installé à la table sous le citronnier. Il m'a fait signe d'avancer :

— Déjà que ton inventaire de forces est établi et révisé régulièrement, identifie tes besoins et tes aspirations. Érige une liste de *personnes ressources* en relation avec tes besoins et aspirations. Tisse un réseau de ces *personnes ressources.* Offre-leur de devenir une ressource qui répondra à leurs besoins et aspirations. Tu as déjà identifié beaucoup de qualités, ce sont tes ressources personnelles. Tu peux les mettre à ta disposition et à celle des autres.

— Si je comprends bien, je vais voir mon colocataire, et lui propose de l'aider en anglais. (Il a rencontré une américaine et il a quelques difficultés à communiquer avec elle).

— Exactement. Tu présentes le tout comme une offre de services d'une entreprise à une autre. Je vous offre telle ou telle ressource et j'aimerais compter sur vous pour telle ou telle ressource. Un échange de services.

— Je n'ai jamais fait cela.

— Bien sûr que non, ce n'est pas une approche usuelle. Par contre, sois conscient qu'une approche semblable va modifier les rapports existant entre vous. Les autres et toi-même allez cesser de vous voir comme des compétiteurs voulant gagner à tout prix. Vous vous verrez comme des complices, comme des coéquipiers disposant d'innombrables ressources. Peux-tu imaginer connaître toutes les qualités de tes compagnons et concevoir tout ce qu'ils pourraient t'apporter? L'effet serait incroyable, n'est-ce pas? Vois toujours dans l'autre ce qu'il y a de bon et n'hésite jamais à demander. Tu obtiendras ce que tu demanderas. Voilà ton travail de la semaine.

Ce que me proposait don Pedro m'interpellait au plus haut point. Tout paraissait si simple, si clair, si facile. Identifie tes forces et mets-les à *ta disposition et à celle des autres.* Je n'ai jamais considéré les autres comme pouvant être une ressource, encore moins ai-je imaginé devoir établir un réseau. Pour la première fois de ma vie, hormis ma famille où l'on échangeait beaucoup, je percevais que je n'étais pas seul au monde.

J'entrevoyais peut-être à peine l'autre, mais le fait de le voir enfin d'un point de vue différent me laissait croire que les paroles du don, ou sa connaissance, étaient nettement plus profondes. En fait, j'avais l'impression qu'il me nourrissait à petites doses pour mieux me permettre de digérer l'information. J'étais conquis, émerveillé.

— Don Pedro, comment puis-je vous remercier?

Ses yeux brillants, intelligents m'ont fixé intensément:

— Utilise ces deux clefs: la reconnaissance de qui tu es et la mise de tes ressources au service des autres, elles t'ouvriront la voie du succès.

Les deux rencontres n'avaient duré que quelques minutes. Ces quelques instants d'entretien ont suscité ma plus importante réflexion des dernières années.

J'ai repris la route après avoir confirmé ma présence pour la semaine prochaine.

Après avoir examiné la liste des ressources dont je disposais, j'ai pensé aux gens qui m'entouraient et je me suis questionné à savoir de quelle manière je pourrais devenir une personne ressource. Je m'étonne qu'on ne sache pas grand-chose des besoins des autres, encore moins de leurs objectifs. Notre vie est tellement importante que celle des autres... ne nous intéresse pas beaucoup.

Ma première offre de service a suscité chez mon colocataire un grand étonnement.

— Qu'est que c'est que cette histoire? Me dit-il en s'esclaffant.

— Je t'offre mes services de traduction, voilà. Je sais que tu en as souvent besoin, et j'aimerais que tu deviennes ma personne ressource comme « guide » lorsque je vais à San José.

— D'où te vient cette drôle d'idée?

J'étais un peu sur la défensive.

— Ce n'est qu'un échange de services, non ?

La surprise affichée par mon colocataire et sa facilité à accepter la proposition m'a convaincu de la puissance de cette méthode. Encore fallait-il l'utiliser.

— Oui, oui, je veux bien être ton guide pour tes visites à San José. Puis, pour d'autres choses aussi. Si tu as besoin, fais-moi signe. Mais bon Dieu, qu'est-ce qui se passe avec toi ? Je t'ai vu écrire une liste de tes qualités, puis une liste de tes besoins. Qu'est-ce qui se passe ? Je ne te suis pas.

Tous mes coéquipiers ont accepté mes offres ! Quoique surpris de la facilité avec laquelle les offres avaient été acceptées, mon étonnement a été au comble en observant la transformation des liens virtuels nous unissant. Ma perception de mes coéquipiers se transformait : ils étaient devenus des ressources dans lesquelles je pouvais puiser. Par exemple, Luciano était un expert en défensive et a accepté de m'enseigner les trucs qu'il connaissait. Oscar, lui, brillait par sa frappe dure et précise et m'a promis de m'aider à perfectionner mon tir au but. Je n'ai eu qu'à demander et les réponses sont venues. De mon côté, je me suis engagé à enseigner les différentes techniques que je possédais pour connaître des départs rapides. Dans toute ma carrière de footballeur, c'était la première fois que mon sentiment de solitude, voire même d'isolement se transformait en sentiment d'interdépendance. Il ne fallait pas être un génie pour comprendre la différence entre isolement et interdépendance ! Mes qualités et les leurs ne pouvaient que nous enrichir mutuellement. Mes compagnons ne représentaient plus des joueurs susceptibles de m'usurper mon poste, mais bien des joueurs possiblement disposés à m'aider à le conserver.

J'ai songé à mon père. Depuis déjà deux ans, nous ne nous parlions plus. Le silence total. Je m'étais fâché à propos d'une critique et rompu tous les liens. Comment peut-on en arriver à ne plus parler à son propre père ? Je ne sais pas. Aussi insensé que de croire à une goutte d'eau refusant son appartenance à la mer : *non, non, je ne suis pas la mer !* Mon père avait voulu m'aider, il avait pressenti que ma carrière périclitait. Je m'étais alors fermé à toutes critiques. Je ne réalisais pas qu'il cherchait à m'aider. Je n'entendais que la critique. Comment pouvait-il me critiquer ? Que connaissait-il de mes difficultés ? J'avais de la difficulté à accepter mes déboires. Deux ans plus tard, grâce à l'idée de devenir une personne ressource, grâce à ma compréhension de notre interdépendance, je découvrais enfin le tort que j'avais causé à mon père ainsi qu'à moi-même. Nous étions deux perdants perdus dans le temps. Deux personnes s'opposant au lieu de mettre en commun leurs ressources. S'opposant pour une bagatelle, pour un rien. Qui suis-je pour être si précieux que je ne puisse pas accepter la critique ? Que suis-je dans ces moments, un centre de forces ? Je ne le crois pas.

J'ai fait ce que je n'avais pas fait depuis très longtemps. J'ai pris le temps d'écrire à mon père. Pour lui dire que je l'aimais, que je m'ennuyais du temps où nous échangions de tout et de rien lors des soupers hebdomadaires. Pour lui demander pardon et lui demander la permission d'être du prochain repas de Pâques. Je me souviens des nombreuses citations de ma mère qui, lors des périodes d'ajustement d'attitude, nous citait son auteur favori, en l'occurrence Romain Gary : « *S'il y a une chose impardonnable, c'est de ne pas pardonner* ». Je n'avais rien à pardonner à mon père, mais je devais me pardonner mon entêtement. J'étais responsable de l'état actuel des choses et moi seul pouvais modifier cet état.

Ce que tu vois...

Je trouvais dommage, voire décevant, mon incompétence à penser par moi-même, mon inaptitude à découvrir ces deux outils si simples, si efficaces qui avaient à eux seuls modifié ma vie quotidienne. Réfléchir, méditer... voilà bien une action sous-utilisée. Que j'aie eu besoin de quelqu'un d'autre pour me l'enseigner, soit! Mais de m'apprendre des choses aussi élémentaires, aussi banales, je me trouvais peu créatif. Et pourtant, je ne connaissais personne qui pratiquait ces exercices ou qui utilisait des outils semblables.

Qui était donc ce don Pedro? D'où tirait-il ses connaissances? Je voulais savoir. Je devais savoir. Pas question de me laisser endoctriner par quelque imposteur ou encore devenir, à mon insu, une marionnette d'une secte! Un exemple sarcastique de *ma grande ouverture d'esprit*: tu rencontres une personne agréable qui donne de son temps pour t'enseigner deux concepts qui changent ta vie et te voilà dans une chasse aux sorcières essayant d'exorciser, de diminuer la personne qui t'a aidé. Pourquoi ne pas simplement accepter cet état de fait: don Pedro utilisait des outils que je ne connaissais pas. Peut-être, en connaissait-il d'autres? Peut-être pourrais-je les apprendre?

27

Peut-être que ces outils m'aideraient à réaliser mon rêve ? Pourquoi tant de prudence ? Pourquoi ne sommes-nous pas comme une fleur qui s'ouvre au soleil ? A-t-on déjà vu une fleur résister, voire refuser de s'épanouir face au soleil ? Alors, pourquoi résister ? À quels dangers suis-je exposé ? À recevoir plus d'informations sur ma façon de fonctionner ? Mon père disait qu'il fallait dire *oui* à toute information sensée pour ensuite évaluer la situation et dire *non* à celles qui ne convenaient pas. *Si simple*, n'est-ce pas ?

Depuis que mon esprit s'occupait à autre chose que le football dix-huit heures par jour, mes entraînements quotidiens de football se déroulaient plutôt bien. Je pensais bien être de la partie du vendredi soir alors que le Municipal Libéria affronterait mon ancienne équipe, le Saprissa de San José.

El monstro morado a gagné le match par le score de 2-1. Mes anciens coéquipiers ont dominé outrageusement la partie avec une possession de ballon à 64 %. Ils ont eu plus de chances de compter dans cette partie que j'en ai eu dans les cinq dernières parties. Gomez a mis un terme à nos espoirs en comptant à la 88e minute de jeu. Je n'ai pas participé au pointage mais ma performance a plu à l'entraîneur. J'ai bien joué, j'étais content. Après la rencontre, beaucoup de joueurs des deux clubs se sont rencontrés sur la plaza de Libéria. Nous, pour assister au meeting d'après partie et *Los morados* pour attendre l'autobus qui les ramènerait à San José. J'en ai profité pour échanger avec Solis et quelques amis qui n'ont pas cessé de me taquiner sur la beauté du stade de Libéria. Il faut souligner qu'ils m'ont tous encouragé à persévérer.

Le lendemain, j'avais rendez-vous avec don Pedro. Les nombreuses courbes, les grandes montées, la proximité des précipices, les ponts étroits ; tout dans la nature m'indiquait que la voie du succès est remplie de difficultés et d'obstacles. Aucun d'eux ne m'a paru infranchissable.

Enfin le moment des questions arrivait. Je voulais savoir. D'entrée de jeu, j'ai interrogé don Pedro sur la provenance de ses connaissances :

— Don Pedro, d'où tenez-vous cette connaissance ?

— En quoi, cela est-il si important pour toi ?

— Je voudrais lire sur le sujet, j'aimerais en savoir plus sur la théorie. Je réalise que je ne peux pas apprendre seul, j'ai besoin d'obtenir plus d'informations.

— Savoir n'est pas connaître. J'ai eu un maître à penser et il y en a beaucoup. Le plus connu aujourd'hui pourrait être le Dalaï-Lama[3]. Je te recommande son livre intitulé « L'art du bonheur ». Il y a aussi « L'audace de vivre » d'Arnaud Desjardins[4] et une multitude d'auteurs connus tels que Wayne Dyer, Deepak Chopra, Richard Bach avec « Jonathan Livingston le Goéland », Saint-Exupéry, Carlos Castaneda, Khalil Gibran, Paolo Coelho, Og Mandino. Tu ne manqueras pas de lecture, crois-moi ! La plupart du temps, pour mieux comprendre ces écrits et surtout les mettre en pratique, une aide extérieure t'est nécessaire et c'est là qu'un maître à penser, un guide devient utile. Les livres font appel à ta raison, à ton intelligence. Le maître, lui, transmet de cœur à cœur.

— De cœur à cœur ?

— Oui, de cœur à cœur. Dans nos sociétés, nous vénérons tout ce qui nous paraît être la représentation de l'intelligence : les scientifiques, les médecins, les savants et nous glorifions tout ce qui représente la consécration ultime du corps : les athlètes. Ils jouissent d'une place très importante dans notre monde, n'est-ce pas ? Pense à la place qu'occupent Mohammad Ali[5] et Ronaldhino[6] ? Le seul type d'intelligence pour lequel nous ne

---

3. http://www.dalailama.com/
4. http://www.amis-hauteville.fr/index_r.htm
5. http://www.ali.com/
6. http://www.ronaldinhogaucho.com/

nous extasions pas est celui du cœur. L'art de la compassion pour les autres. C'est avec l'intelligence du cœur que nous pouvons atteindre le bien-être, le bonheur.

— Don Pedro, je ne suis pas sûr de bien comprendre *l'intelligence du cœur*!

— Tu vois, on peut identifier toutes les différences qui existent entre toi et moi. Je pense qu'on n'en finirait pas de les énumérer. Et pendant que j'attribue, par comparaison, une valeur à ton être, je perds de vue l'essentiel. L'essentiel est de se souvenir que nous partageons tous la même nature humaine. Ne sommes-nous pas *tous mortels*? Ne sommes-nous pas *tous changeants*? Ne sommes-nous pas *tous faillibles*? N'avons-nous pas *tous une résistance au changement*? Ne sommes-nous pas *tous à la recherche du plaisir*? Ne sommes-nous pas *tous influençables*? N'avons-nous pas été *tous dotés* de *tendances innées*? Nous pourrions en parler longuement dans une autre rencontre! Mais là, Benjamin, je m'égare! Revenons à nos moutons!

Les paroles de don Pedro possédaient le pouvoir unique de créer chez moi une grande ouverture. Ces paroles simples et remplies de bon sens, non seulement, répondaient-elles à certaines questions mais entrouvraient la porte d'un monde à découvrir. Je ressentais le même enchantement, le même éblouissement d'un enfant lors de sa première visite à un parc d'attractions. Je ne réalisais pas, qu'en fait, j'étais perdu dans la maison aux miroirs, ce fameux labyrinthe où chaque porte constitue l'illusion de la réussite.

— Oui! don Pedro, revenons à nos moutons. Par où devrais-je commencer?

— Mets en pratique ce que tu apprends et ne t'inquiète plus, les questions viendront d'elles-mêmes. Chaque chose en son temps, comme au football!

— Comme au football ? Je ne comprends pas.

— Tu n'as pas atteint instantanément ton niveau actuel de jeu, non, tu y as mis plusieurs années. Enfant, tu as joué, tu as essayé, tu as regardé, tu as imité, et par ta persévérance et tes pratiques répétées, le niveau de ton jeu s'est élevé. Il se produira la même chose avec l'utilisation de tes ressources intérieures. Le fait de savoir que tu possèdes toutes ces ressources te permettra de les utiliser plus souvent.

Aujourd'hui, je vais te confier une clef que tu utilises, que tout le monde utilise sans en être conscient.

— Lorsque tu entreprends une partie de football, peux-tu te *voir* jouer ? Peux-tu créer dans ton esprit un *film* de ce que tu veux accomplir ?

Il allait me parler de visualisation. J'étais un peu déçu. Combien de fois un entraîneur m'avait-il parlé de visualisation ? Pas un autre !

— Oui, oui, comme tous les joueurs le font, je pense.

— Bien, ça sera plus facile. C'est le processus de la visualisation ou encore de l'imagerie mentale. Il s'agit simplement de créer une image de ce que tu veux. Mais, il y a un processus, un protocole à suivre pour obtenir les meilleurs résultats. D'abord et avant tout, il faut identifier ce que tu désires, on les appellera les *Je veux*. Il est très important de savoir ce que tu veux. Puis, pour chacun d'eux, tu créeras une image nommée les *Je vois*. Dans les faits, tu deviens cinéaste en créant un « clip », un film très détaillé représentant les images de tes *Je veux*. À ce film, tu y ajoutes une affirmation puissante comme si tu y incluais une bande sonore. L'affirmation joue le rôle du percuteur. Elle frappe et éveille ton imagination. Finalement tu crées la sensation, en imaginant ce que l'atteinte de ton objectif créera sur tes sens : que vois-tu, qu'entends-tu, que goûtes-tu, que touches-tu ? Invente l'effet sensoriel de ta réussite. Comme nous vivons par nos sens, plus la création de l'effet sensoriel est élaborée, plus il te sera facile de passer à l'action.

— Don Pedro, pouvez-vous me donner un exemple d'une affirmation?

— Les affirmations sont puisées à ton inventaire de qualités. Par exemple : *Je suis confiant. Je suis enthousiaste. Je suis...* Les affirmations les plus efficaces sont les plus courtes.

— Ça me paraît assez simple.

— Il te manque encore un élément important. La visualisation n'est pas la pensée magique, la panacée de toute réalisation. Non, il te manque l'élément qui relie les *Je veux* et les *Je vois*. Cette troisième partie se nomme *J'agis*. Alors là, tu énumères les actions nécessaires pour la réalisation de ton objectif.

— C'est tout? Dis-je étonné.

— Non, ce n'est pas tout. Il te suffira d'agir, de laisser agir et de faire confiance.

— Que voulez-vous dire?

— Agir en accomplissant les actions nécessaires. Laisser agir en repassant ton film dans des moments de calme. Et faire confiance en la réalisation de ton film, sans forcer l'image, la laisser venir et goûter à la sensation créée.

— Ça me paraît un peu... magique, non?

— Il ne s'agit pas de magie. Ne t'arrive-t-il pas de penser à quelqu'un et, ô surprise, un ou deux jours plus tard, il te téléphone? Les idées qui habitent notre esprit veulent devenir réalité. Ton subconscient travaille pour toi. Aie confiance.

— Mais pourquoi cela n'a-t-il pas fonctionné jusqu'à présent?

— Il y a conflit entre ce que tu veux et ce que tu vois. L'imagination l'emporte toujours sur la volonté.

— Qu'est-ce que cela veut dire, l'imagination l'emporte sur la volonté?

— N'as-tu pas déjà entendu dire : je veux être heureux, je veux être riche, je veux avoir une belle carrière, je veux être un joueur de soccer professionnel ? Et pourtant, est-ce que tous sont heureux, riches, carriéristes ?

— Non, beaucoup ne réussissent pas à être ce qu'ils veulent et à réaliser leurs désirs.

— C'est parce qu'il y a conflit entre les *Je veux* et les *Je vois*.

— Je ne comprends pas.

— Les *Je veux* représentent ta volonté, ce que *tu veux faire*, ce que *tu désires être*, et ce que *tu souhaites posséder*. Les *Je vois* sont le fruit de ton imagination, dans ton film créé de toutes pièces, tu fais appel à tes cinq sens : tu ressens, tu vois, tu goûtes, tu touches, tu es touché, tu entends. Le cerveau qui ne fait pas la différence entre la réalité et ton image mentale va enclencher le processus d'actualisation de ta pensée. Il va faire en sorte que ça se réalise, comme l'appel téléphonique de ton ami.

— Je ne comprends toujours pas.

— Prenons l'exemple suivant : il y a des gens qui ne veulent pas être malades et qui affirment sans s'en rendre compte : « en février j'ai toujours la grippe ». C'est une visualisation toute simple qui appelle une situation facile. Penses-tu qu'ils ont des chances de souffrir de la grippe, en février ? Ou encore, les gens qui disent : « dans une soirée, je fais toujours des gaffes, j'échappe tout ». Crois-tu que ces gens n'ont pas la tendance réelle de tout échapper lors de soirées ?

— Je dirais que oui, ils doivent gaffer !

— Ils ne veulent pas gaffer, mais ils se voient gaffer. Comme toi, tu veux être un footballeur de niveau international, mais comment te vois-tu ? Comme un joueur excellent dans les entraînements et médiocre dans les parties ? L'image que tu as de toi est déterminante !

— Don Pedro, vous voulez dire qu'ils se voient faire des gaffes lors de soirées ?

— Sans le savoir, oui! Une phrase est aussi un exercice de visualisation. Lorsque je dis: « Je suis incompétent », eh bien, cette pensée cherche à s'actualiser. La visualisation est un processus normal et naturel que tout le monde utilise. Moi, je t'enseigne comment t'en faire un outil puissant pour t'aider à réaliser tes rêves. C'est le même processus, mais tu en connais les étapes et tu en connais le mode d'emploi, si tu veux. Voilà une bonne raison pour surveiller tes pensées, non? Sens-tu l'urgence de surveiller tes pensées?

— Avec les exemples que vous me donnez, ça semble évident. Y a-t-il d'autres éléments que je devrais surveiller?

— Oui, sois prêt à accepter ce que tu recherches.

— C'est évident, non?

— Non, plusieurs se contentent de la poursuite de l'objectif.

Sur cette parole, il m'a fait signe d'attendre et il s'en est allé dans la cour. Il est revenu avec une superbe plante reposant dans un pot de grès. Un camélia rouge!

— Voilà, c'est pour toi. Non pas pour te souvenir de moi, mais bien pour te rappeler que chacune de tes qualités nécessite des soins comme ces fleurs ont besoin d'eau, de soleil et d'un peu de terre. Veille à chérir tout ton être comme tu chériras ce camélia.

Encore une fois, l'entretien s'est terminé, encore une fois, j'aurais voulu continuer à écouter cet homme.

Mais un grand travail m'attendait.

Le plan

Je me suis procuré quelques livres sur la visualisation, non pas parce que je trouvais les informations de don Pedro insuffisantes, mais bien pour connaître un point de vue différent, une perspective distincte. Je désirais, plus que tout au monde, être un footballeur de calibre international et je voulais bâtir un plan performant. Je croyais à la technique de don Pedro et j'allais l'expérimenter. Suite à la lecture des documents, j'ai opté pour un plan visuel. Un plan que je pourrais afficher, que je pourrais voir et qui me rappellerait sans cesse à mon objectif.

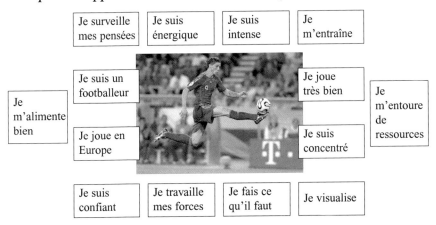

| Je surveille mes pensées | Je suis énergique | Je suis intense | Je m'entraîne |

Je suis un footballeur — Je joue très bien

Je m'alimente bien

Je joue en Europe — Je suis concentré

Je m'entoure de ressources

| Je suis confiant | Je travaille mes forces | Je fais ce qu'il faut | Je visualise |

J'ai pris tout le temps nécessaire pour réfléchir à ce que je voulais. Don Pedro avait insisté sur l'importance de préciser les *Je veux*. J'ai choisi les mots les plus explicites : être un joueur de premier plan, évoluer dans une ligue de première division en Europe.

Par la suite, j'ai réfléchi longuement sur les actions à faire. Encore une fois, j'ai sélectionné les termes les plus spécifiques, les plus significatifs décrivant les actions nécessaires : je m'alimente bien, je dors bien, je surveille mes pensées, je m'entraîne régulièrement, je travaille mes forces, je m'entoure de personnes ressources, je pratique ma visualisation dans des périodes de calme.

Après quoi, j'ai travaillé l'aspect sensoriel de mon plan. J'ai trouvé cette partie plus difficile à réaliser. Prendre le temps de m'arrêter pour voir quels seraient les effets, les conséquences de mon succès sur mes sens. C'était bien la première fois que j'imposais, consciemment, à mon cerveau des images, des images choisies sur mesure par moi. D'ordinaire, c'est plutôt l'inverse, ton cerveau te bombarde sans cesse d'images, un peu comme les pop-ups sur internet. J'ai récupéré toutes les revues de sport qui traînaient un peu partout et j'ai découpé les images représentant mes *Je vois* : une foule de 40,000 spectateurs hurlant de plaisir suite à un but, un joueur tout en sueur frappant la balle avec force, des fans s'extasiant devant le jeu qui se déroule, un joueur en course contrôlant le ballon, un jeu de passe réussi et des buts, des centaines de buts. Puis j'ai créé de toutes pièces des images de moi : je reçois la balle, je tire au but, mon lancer est bon. La foule jubile. Je me sens bien, super bien.

J'ai copié une photo tirée de l'internet et je l'ai affichée en plein centre de mon visuel. J'y ai ajouté des affirmations et des actions.

Le matin quand je me lève et que tout est calme dans la maison, je m'assois dans mon fauteuil favori et je regarde mon film en repassant chaque action en détail, chaque senti. Le soir, je fais la même chose sans forcer, je laisse le film se dérouler. J'ai appris à aimer ces instants de paix et de relaxation.

Tout n'a pas changé aussi rapidement qu'on pourrait le penser. Non, les entraînements se sont succédés, jour après jour, et Alvaro nous poussait très fort dans les entraînements. La saison avançait rapidement. Nous devions gagner le dernier match de la saison pour nous qualifier pour les séries éliminatoires. Nous devions rencontrer Puntarenas pour la dernière partie, et le match se jouerait à Puntarenas, ville portuaire du Costa Rica. Peu m'importait que le match ait lieu à Puntarenas ou encore à Libéria car dans les deux villes, le mercure oscillerait aux alentours de 38 degrés celsius. Si tu ne fais pas attention, tu risques la déshydratation et l'insolation. J'ai la peau très blanche, je dois me protéger constamment. Ça fait rire mes coéquipiers, ils ont la peau tellement endurcie.

Dans l'autobus nous transportant à Puntarenas, l'atmosphère était excellente, les gars s'amusaient. Non seulement l'atmosphère était bonne, mais le moral était à son meilleur. Nous avions gagné nos deux derniers matchs et nous pensions bien pouvoir gagner celui-ci. Même Alvaro semblait s'amuser, et ça, ne faisait pas réellement partie de son répertoire.

La vue du stade municipal de Puntarenas, lorsque tu rêves de jouer en Europe, n'est pas de nature à t'encourager. Le terrain est dans un état lamentable ! Le gazon est brûlé par le soleil et le manque d'arrosage. Souvent après un lancer au but, un nuage de poussière enveloppe la zone des buts. Aujourd'hui, on devra s'y faire, car peu importent les obstacles, nous devons gagner pour accéder aux éliminatoires. Les spectateurs, nombreux, supportent bien sûr l'équipe de Puntarenas qui comptent de bons joueurs. Nous ne les avons pas battus cette année et ils se sentent en confiance pour nous soutirer la victoire. Suite à l'hymne national, l'arbitre a mis la balle en jeu. À la neuvième minute de jeu, Bernardth, près de la zone des buts, a passé la balle à Salazar. Il l'a refilé à Gonzalez qui a déjoué deux joueurs de Puntarenas pour me la céder. Une passe superbe alors que j'étais à la droite du but. Sans hésiter, j'ai lancé de toutes mes forces dans la partie supérieure gauche du but du Puntarenas, un des plus beaux buts que je n'ai jamais compté. Tout le jeu s'était déroulé parfaitement, je n'avais eu qu'à tirer. Merci les gars pour l'excellent jeu. Nous menions par un but à zéro ! Alvaro du coin de l'œil m'a fait signe qu'il était satisfait de mon jeu. Je l'étais aussi ! D'autant plus, que je m'étais vu compter ce but des centaines de fois ! La répétition exacte du but visualisé. La partie s'est déroulée rudement et notre gardien s'est surpassé à deux occasions pour nous permettre de gagner ce match par un maigre but. La joie, l'euphorie s'est emparée du vestiaire, nous allions être des séries et affronter une excellente équipe, le Perez-Zéledon[7].

Les techniques de don Pedro se sont avérées efficaces. Sans allonger la liste de mes forces, je me suis discipliné à visualiser mon rêve, à repasser le film incessamment dans ma tête sans forcer, comme il disait, seulement en laissant le clip se dérouler avec précision sur mon écran intérieur. J'y croyais.

Si nous gagnons la série contre le Perez-Zéledon, soit deux matches au total des points, nous affronterons le gagnant entre La Liga Deportiva Alajuelense et le Saprissa de San Jose. J'étais motivé à bien jouer, je me suis préparé avec soin pour chaque entraînement, pour chaque instant de football. Alvaro nous répétait sans cesse que nous pouvions gagner, qu'il fallait puiser jour après jour dans tout ce que nous avions d'expérience au football. Nous avons perdu le premier match par un pointage très serré de un à zéro. Nous devions donc l'emporter par plus d'un but pour

---

7. http://www.perezzeledon.net/index.php

remporter la série. Le deuxième match a eu lieu à Libéria sous une chaleur suffocante de 39 degrés centigrades. La foule nombreuse et très bruyante nous a encouragés jusqu'à la fin en criant et en sautant sans cesse dans les estrades. Je n'ai joué que pendant le premier temps, Alvaro m'a remplacé par un autre jeune joueur et nous avons gagné par le score de 3-1. Il faut avoir gagné au moins une fois pour comprendre ce débordement de joie, ce délire. Comme j'aimerais connaître cette joie à tous les jours ! Nous allions en finale contre mon ex-équipe, Le Saprissa de San Jose qui l'avait emporté lui aussi contre son rival de toujours La Liga Deportiva Alajuelense.

Une finale de football au Costa Rica crée la même ambiance qu'une finale de la coupe Stanley à Montréal. Les gens descendent dans la rue comme ils le font sur la rue Sainte Catherine. Pour les fans, c'est la consécration. *El monstro morado* l'a emporté, à la suite de nos deux matches, par le score de six à cinq. Nous avons joué avec l'ardeur du Ghana au mondial d'Allemagne 2006. Je ne sais pas si vous les avez vus jouer, ils m'ont conquis par la démonstration non équivoque de la signification des mots : *désir de gagner*. Au football, il y a trop de matches nuls ! Eux visaient la victoire, pas le match nul. Ils préféraient perdre en se défonçant au jeu que de mériter une tiède partie nulle. C'est comme ça que je voulais jouer. On nous avait prédit une élimination rapide par le Saprissa, ils ont gagné, certes, mais à la limite de leurs forces. Leurs joueurs de talent et de calibre international comme les Wanchope et Gomez nous ont bien battus dans le deuxième match.

Après le match, j'ai échangé avec Paulo Ceasar Wanchope. Je voulais connaître son secret pour accéder à son niveau. Bien sûr, il est un joueur exceptionnel. Il m'a confié, que de toute sa vie, il n'a poursuivi qu'un rêve : le football. Il s'est donné des objectifs mensuels d'entraînement, de lecture, d'alimentation, de repos, de travail, de vacances. Tout tournait autour du football! Il ne pouvait y avoir autre chose pour lui. Tout cela me faisait repenser aux exercices de don Pedro que je n'avais pas vu depuis plus d'un mois. Pour moi aussi, tout tournait autour du football : le matin, le midi, le soir. Pas de temps pour les copains hors du football, pas de temps pour développer des relations agréables avec des filles, sauf pour MariaRosa, une amie à l'université de San José. Rien que du football.

La finale m'a quand même permis de jouer deux autres matches dans lesquels j'ai compté un but. Mon jeu s'est stabilisé et sensiblement amélioré, d'ailleurs mon ex-entraîneur m'a félicité pour ma performance et questionné sur ce que j'avais fait pour changer ainsi mon registre de jeu. Je n'allais pas le lui dire, *on ne raconte ses rêves qu'à des personnes dignes de confiance!* Les paroles exactes de mon père, vous vous rappelez? Et je n'avais pas confiance en lui. Il ne m'a jamais aidé, tout ce qu'il lui importait était la victoire, rien d'autre. Il ne vous saluait jamais, même s'il vous arrivait en plein dedans. Il faisait toujours mine de ne pas vous avoir vus, il n'en avait que pour ses favoris, et encore, seulement ceux qui réussissaient. Les autres, ceux qui échouaient étaient relégués aux oubliettes. C'était là son échec personnel : *la réussite.* Il croyait que tout le monde devait vivre selon son critère de réussite, c'est-à-dire devenir le meilleur footballeur au monde. Il se défonçait littéralement au travail y allant de semaines de plus de 90 heures de travail. Il méprisait tous ceux qui n'y allaient du même effort. Sa vie se résumait au mot travail. Sympathique? Non. La courtoisie lui faisait défaut en tout temps. Ses problèmes de santé suffisamment importants pour l'hospitaliser, ne l'ont jamais empêché de diriger les entraînements et haranguer ses adjoints directement de son lit d'hôpital, malgré l'avis du médecin. Comme il a été guéri, sans aucune séquelle, d'un cancer de l'intestin, il se croyait littéralement choisi par

Dieu pour accomplir sa mission d'entraîneur du Saprissa et de gagner, le championnat national, année après année.

Vaincre à tout prix, peu importe si ton action met fin aux rêves et aspirations des autres. Et peu lui importait les autres, tu joues bien, je te veux, tu joues mal, je ne te veux pas.

Je n'allais pas lui confier mon rêve.

Mon père encore !

Mon père a donné suite à ma lettre. Il m'a fait parvenir un billet d'avion pour Montréal. Je n'y étais pas venu depuis près de deux ans et demi. Quelle est belle la ville en juin avec ses trottoirs impeccables, ses édifices de verres surplombant le fleuve, ses terrasses aux nombreux parasols, sa langue française à l'accent québécois, ses parcs de quartiers, et tous ses conducteurs disciplinés. J'avais oublié la propreté et l'ordre de cette belle ville. Les retrouvailles familiales se sont déroulées dans la paix et l'harmonie lors d'un des fameux soupers de ma mère. On m'a bombardé de questions et c'est le cœur au bord des lèvres que je leur ai annoncé que j'avais quitté le Costa Rica et que je n'avais pas l'intention d'y retourner à moins de ne pas pouvoir me trouver un club de football prêt à m'accueillir en Europe. Mes parents ont paru surpris. Je leur ai expliqué que j'avais rencontré Wanchope et qu'il m'avait recommandé à Paul Perron, un ami entraîneur. En fait, c'était une recommandation pour le Football Club Sochaux-Montbéliard. Un club de football en France, tout près de la Suisse, dans un tout petit village de 4 500 habitants voisin de Besançon. J'ai effectué ma recherche sur l'internet et je savais que le FC Sochaux-Montbéliard était dans la première division et que l'an passé, ils avaient gagné le championnat de la division 2. Il venait de terminer la saison en 15ᵉ place sur 20 avec 11 victoires, 11 défaites et 16 nulles. 34 buts pour et 47 contre. Je savais donc qu'ils avaient un urgent besoin d'un marqueur et j'avais l'intention de présenter ma candidature appuyée par Paulo Caesar Wanchope. Je suis resté à la maison plus de deux semaines à visiter la famille et les quelques connaissances avec qui je communiquais encore via l'internet. Mes parents n'étaient pas très contents que je quitte l'université. Je leur ai proposé un marché qu'ils ont accepté : je m'inscrirais dans les cours disponibles sur place et quoiqu'il arrive plus tard, je terminerais mes études. Mon père a été formel sur ce point. Je devrais respecter ma parole, succès ou pas en football.

Finalement, je suis parti pour Lausanne grâce à la générosité de mes parents qui m'ont avancé, encore une fois, l'argent du voyage. De Lausanne, j'ai pris le bus pour Sochaux-Montbéliard. Je suis arrivé très tard à l'hôtel Arianis de Sochaux où j'avais réservé une chambre. Une chambre d'hôtel d'ici ou ailleurs, pour moi, demeure un endroit froid et impersonnel. La plupart du temps, il s'y trouve un excellent lit. Mort de fatigue, je me suis écroulé sur le « king size » et, dans l'espace d'un clin d'œil, je me suis endormi profondément sans même avoir eu une seule petite pensée pour le Football Club Sochaux-Montbéliard.

Le Football Club Sochaux-Montbéliard

Je n'ai pas été bien reçu au club! J'ai eu toute la difficulté du monde à obtenir une entrevue avec l'entraîneur. Premièrement, ils ont leur propre système de recrutement et ils ne se fient par conséquent qu'à leurs recruteurs. Deuxièmement, ils ont pour le football costaricien une antipathie fondée sur leur croyance que le football du Costa Rica se joue forcément comme celui présenté au dernier mondial, alors que le Costa Rica avait été la risée populaire avec leur trente et unième position. Troisièmement, évidemment qu'ils connaissent Wanchope, mais Chope est un joueur établi et n'est ni qualifié comme entraîneur ni comme agent recruteur. Alors, sa recommandation ne représentait pas une grande valeur. Quatrièmement, ils vont me rappeler après avoir discuté entre eux. Je leur ai donné mes coordonnées.

De retour à ma chambre, je me suis changé et je suis parti jogger une dizaine de kilomètres, histoire de me tenir en excellente forme et aussi de mieux connaître ce petit village. Mon hôtel se situe en face du musée Peugeot, c'est l'hôtel Arianis. J'ai pris la Place d'Épinal jusqu'à l'avenue du Général Leclerc, j'ai croisé l'ancienne mairie et je me suis dirigé sur la rue de Pontarlier puis sur la Promenade de la Rêverie qui mène au centre nautique Marcel

45

Vauthier et au stade municipal. J'avais hâte de voir le stade. En fait, il s'agit du stade Auguste Bonal, érigé à la mémoire de l'un des sept directeurs d'usine déportés dans un camp d'extermination nazi en 1944. Il n'y reviendra jamais, abattu par balles juste après sa libération du camp de Schomberg. Un magnifique stade rénové récemment avec une capacité de 20,000 spectateurs. J'étais impressionné, même le stade de Ricardo Saprissa de San Jose avec ses 23,000 places ne pouvait rivaliser en beauté et en efficacité. Je cherchais l'entrée, je voulais voir l'intérieur. J'ai parlementé avec le surveillant lui expliquant que j'étais un footballeur, que je venais de me présenter à l'exécutif du club, qu'il me fallait absolument voir le stade pour pouvoir pratiquer ma visualisation, bref, j'ai utilisé tous les arguments possibles jusqu'à ce qu'il cède et m'ouvre la porte. À chaque phrase, il me disait :

— Comment ? Comment ? Qu'est-ce que vous dites ?

Mon accent québécois semblait lui occasionner un petit problème. S'il avait su ! C'était plutôt son accent qui me causait un problème. D'ailleurs, lorsque vous êtes québécois et que vous vivez hors Québec, il est assez rare que la langue utilisée vous paraîtra appropriée. Que je parle espagnol au Costa Rica, que je parle anglais en Ontario ou français en France, il y a toujours quelqu'un pour me rappeler mon accent. Dans les pays latins visités, les gens acceptaient mieux ma différence. Il y a beaucoup de Français qui pensent que nous sommes ignorants parce que notre français ressemble à de *l'ancien français*. Combien de fois, n'ai-je pas entendu quelques français dire : *Ça va-t-être* ! Faut-il préciser qu'isolés parmi quelques 320 millions d'anglophones, nous utilisons toujours cette belle langue que nous défendons avec fierté et beaucoup de courage. Les paroles de la chanson d'Yves Duteil[8] parlent par elles-mêmes :

---

8. http://www.paroles.net/texte/17360

« C'est une langue belle avec des mots superbes
Qui porte son histoire à travers ses accents
Où l'on sent la musique et le parfum des herbes
Le fromage de chèvre et le pain de froment

Et du Mont-Saint-Michel jusqu'à la Contrescarpe
En écoutant parler les gens de ce pays
On dirait que le vent s'est pris dans une harpe
Et qu'il en a gardé toutes les harmonies

Dans cette langue belle aux couleurs de Provence
Où la saveur des choses est déjà dans les mots
C'est d'abord en parlant que la fête commence
Et l'on boit des paroles aussi bien que de l'eau

Les voix ressemblent aux cours des fleuves et des rivières
Elles répondent aux méandres, au vent dans les roseaux
Parfois même aux torrents qui charrient du tonnerre
En polissant les pierres sur le bord des ruisseaux

C'est une langue belle à l'autre bout du monde
Une bulle de France au nord d'un continent
Sertie dans un étau mais pourtant si féconde
Enfermée dans les glaces au sommet d'un volcan

Elle a jeté des ponts par-dessus l'Atlantique
Elle a quitté son nid pour un autre terroir
Et comme une hirondelle au printemps des musiques
Elle revient nous chanter ses peines et ses espoirs

Nous dire que là-bas dans ce pays de neige
Elle a fait face aux vents qui soufflent de partout,

47

Pour imposer ses mots jusque dans les collèges
Et qu'on y parle encore la langue de chez nous

C'est une langue belle à qui sait la défendre
Elle offre les trésors de richesses infinies
Les mots qui nous manquaient pour pouvoir nous comprendre
Et la force qu'il faut pour vivre en harmonie

Et l'Île d'Orléans jusqu'à la Contrescarpe
En écoutant chanter les gens de ce pays
On dirait que le vent s'est pris dans une harpe
Et qu'il a composé toute une symphonie

Et de l'Île d'Orléans jusqu'à Contrescarpe
En écoutant chanter les gens de ce pays
On dirait que le vent s'est pris dans une harpe
Et qu'il a composé toute une symphonie.

Le stade m'a énormément plu, je me voyais déjà y jouer. J'entendais la foule hurler de joie, même l'odeur du stade me plaisait. Je savais que j'y avais ma place. Il ne pouvait pas me refuser, je possédais exactement ce qu'il leur manquait. Je savais marquer des buts et ils en avaient grandement besoin. Comme don Pedro me l'avait enseigné, je leur avais proposé ma ressource, ils ne pouvaient pas demeurer sourds à ma demande. Ils m'accorderaient un contrat, j'en étais certain.

Je suis reparti pour mon jogging, confiant et heureux. Il ne me restait plus qu'à attendre leur appel.

J'ai quand même attendu plus de dix jours. C'est long dix jours, surtout quand il s'agit d'une décision qui peut se prendre en trois secondes. Il ne s'agit que de dire « oui », ce n'est quand même pas difficile. De plus, avec la rapidité des communications d'aujourd'hui, ne suffisait-il pas d'écrire un courriel à Alvaro, de communiquer avec la fédération de football du Costa Rica, de communiquer avec le Saprissa et le Municipal de Liberia ? La peur de se tromper, la peur de perdre, je ne sais pas ce qui les a tant fait hésiter. Pour ma part, je ne voyais pas le risque qu'il prenait. Il n'avait qu'à m'essayer pour les matches préparatoires d'avant saison. Je leur avais soufflé toutes les réponses. C'était une transaction gagnant-gagnant comme l'aurait dit mon père. Il ne pouvait que gagner, il n'y avait rien à perdre ! Gagner un jeune joueur en excellente condition physique et mentale qui savait compter des buts alors que leur équipe n'en avait compté que trente-quatre en 38 matches. Je ne voyais pas le risque. Peut-être avait-il peur de réussir ? La saison officielle commencerait le 5 août, mais d'ici ce temps-là, il y avait sept matches préparatoires. Il me semblait que ce n'était pas si difficile à décider, d'autant plus que l'aspect financier ne présentait pas pour moi un problème, j'étais prêt à accepter le contrat minimum prévu par la ligue, mais je ne leur avais pas soufflé mot.

Mon timing était parfait : jeune joueur, excellente condition physique et mentale, reconnu comme un bon marqueur, sans contrat, sans attaches, recommandé par Wanchope ! Que peut-on souhaiter de plus ? C'est comme si tu trouves un 100 $ par terre et tu ne le ramasses pas parce que tu te dis que ça ne se peut pas et que par conséquent il doit s'agir d'un faux ! Une aubaine que beaucoup de clubs auraient acceptée. D'ailleurs, cette ligue comptait vingt clubs, je n'allais quand même pas m'arrêter au premier « non ». La lettre de recommandation était bonne pour d'autres clubs même si Wanchope connaissait personnellement Perron. Tout « non » de Sochaux signifiait un « oui » d'un autre club, point à la ligne. J'étais en France, et je ne repartirais pas sans y avoir joué. Et si ce n'était pas la France, tant pis, il y avait aussi tous les autres pays limitrophes dont l'Espagne et l'Angleterre. Je parlais couramment le français, l'espagnol et l'anglais. Je ne m'arrêterais pas ici.

Au début de la dixième journée, la secrétaire de Monsieur Perron m'a convoqué à un rendez-vous au stade Bonal! J'étais surexcité, je pressentais mon acceptation au sein du club. Monsieur Perron, accompagné des bonzes du club et du médecin, m'a accueilli à l'entrée du stade.

— Benjamin, nous avons décidé de vous mettre à l'essai pour les matches préparatoires. Nous devons au préalable vérifier votre condition physique et si tout est comme nous le souhaitons, nous vous ferons signer un contrat pour ces 7 matches qui auront lieu en juillet. Qu'en dites-vous?

J'étais à la limite de la joie et je ne savais pas trop quoi dire.

— Fantastique, merci. Vous ne serez pas déçus.

— Je vous confie au médecin de l'équipe et suite à son rapport. Nous discuterons « football ».

— D'accord, monsieur Perron.

Le tout s'est déroulé parfaitement bien. Test à l'effort, vérification de ma capacité en aérobie, test sanguin, bref une panoplie d'examens de toutes sortes ayant pour but de déterminer avec exactitude ma condition physique. J'étais dans une condition physique optimale. Il ne manquait plus que le résultat du test sanguin qui nous parviendrait dans les jours suivants. Le médecin m'a indiqué le bureau de monsieur Perron. Assis à son bureau, il semblait tout absorbé par les documents qu'il lisait. Il était nouveau aussi. Je l'avais lu sur l'internet. Il avait été congédié par l'Olympique de Marseille et venait d'accepter un contrat de deux ans avec le FC Sochaux. Peut-être était-ce la raison de son hésitation, je ne sais pas. Quoi qu'il en soit, il n'a pas perdu de temps avec les banalités du genre « comment ça va, moi je vais bien, etc. » et il a engagé avec moi une conversation directe:

— Tu as 19 ans, n'est-ce pas?

— Oui, monsieur, mais bientôt vingt. Le 12 juillet.

— Tu es seul en France ?

— Oui, monsieur.

— Peux-tu m'expliquer pourquoi ?

Était-il digne de confiance ? Allait-il m'aider ? J'hésitais. Il me regardait droit dans les yeux, attendant la réponse.

— Je suis venu pour jouer, c'est tout. L'Europe, c'est la place, non ?

— Oui, mais il y a une grande disponibilité de joueurs : européens, africains, arabes et, à ma grande surprise, toi, un jeune canadien. Et ça, il n'y en a pas beaucoup. En fait, il n'y en a pas !

— Alors, je serai le premier.

Il m'a questionné sur mes préférences au football, m'a décrit certains jeux de base, m'a interrogé sur ma ou mes positions préférées. Ni sympathique, ni désagréable, il a mené l'entrevue pendant presque deux heures alors que cela m'a paru une quinzaine de minutes.

— Je vais te recommander à l'exécutif du club pour un contrat d'essai coïncidant avec nos matches préparatoires. Il s'agit d'un contrat de base avec le salaire minimum prévu par la ligue. Ça te va ?

— Mais est-ce que je vais jouer, monsieur ?

— Tu as sept parties pour faire ta place. J'ai l'intention de t'essayer comme attaquant droit. Bon, alors, comme les entraînements ont commencé il y a une semaine. Présente-toi demain au stade à 8 heures pour l'exercice quotidien, on te donnera un casier, un uniforme et tout le bataclan.

— J'y serai. Merci monsieur.

Je ne peux décrire avec facilité l'émotion qui s'est emparée de moi. En quittant le bureau, je tremblais comme une feuille au vent, mes jambes molles ne me soutenaient qu'à peine et j'avais de la difficulté à contrôler ma respiration. Ça y était presque, j'étais presque engagé en Europe, par un club de première division. Je me suis rendu à mon hôtel sans m'en rendre compte. L'excitation ne diminuait pas et tous les rêves les plus fous ont défilé dans mon esprit. Je me voyais déjà compter des buts et je voyais mon nom sur les affiches du stade. Cela a été le rêve éveillé le plus réel que je n'ai jamais vécu. Je n'avais pas faim, je ne sentais pas la soif. Ma seule envie, mon seul désir était que mon rêve ne s'arrête jamais.

Mes débuts professionnels à Sochaux

Dans l'euphorie qui a suivi la signature du contrat, j'ai appelé mes parents. Je leur ai donné l'adresse internet du club de Sochaux ainsi que le calendrier des parties. Ils pourraient suivre sur le site officiel du club les résultats des parties et s'informer des différentes activités. Ils étaient très heureux de la tournure des événements. Je les sentais remplis de prudence car ils ne cessaient de me dire de ne pas me créer trop d'attentes avec les sept parties. Réflexe purement parental ! Pour le moment, ma seule préoccupation était de quitter l'hôtel et de me trouver une pension. Je suis allé fureter à la mairie, pas d'annonces de pension, quand au journal L'Est Républicain, il n'y avait pas d'offres du genre. Finalement, j'ai trouvé un petit hôtel de 16 chambres à Étuves, *La vieille ferme* de monsieur et madame Baron. L'établissement me paraissait peu occupé et je leur ai fait une offre qui a été acceptée. Je ne voulais pas vivre dans une auberge jeunesse. Je louais pour un mois avec déjeuner et souper inclus, sauf que je devrais me contenter du repas du jour. De toute évidence, madame Baron n'avait aucune idée de la teneur d'un menu dans un restaurant au Costa Rica. Au prix consenti, j'étais aux portes du paradis. Madame Baron me rappelait ma grand-mère maternelle par sa jovialité et sa bonne cuisine. Et la bonne cuisine m'a fait terriblement défaut à Libéria. Les costariciens cuisinent bien. Tout regorge de saveur. La saveur, l'arôme, la cuisson, ne représentent pas le problème. La véritable difficulté réside dans le peu de variété des menus présentés : du riz, des *frioles,* du poulet et de la viande de bœuf. Étonnamment, le pays serti entre le Pacifique et la mer des Caraïbes n'offre que peu de fruits de mer. Ils sont très difficiles à trouver. Comme ma mère est une cuisinière de grand talent, l'agneau, le veau, les fruits de mer, les sauces, les fromages m'ont manqué. L'image et le souvenir de nos soupers de famille étaient ancrés très profondément dans ma mémoire. En France, les menus variés et tout ce qui aurait paru si exotique au Costa Rica faisaient partie du menu quotidien. Imaginez, le restaurant de *La vieille ferme* offrait sur le menu du jour, et je les ai comptés : sept entrées froides, cinq entrées chaudes, six plats de crustacés, six plats de viandes, six plats de poissons, six spécialités, des pâtes, des fondues, un menu gourmand, un menu végétarien et une kyrielle de vins et liqueurs de toutes sortes. J'étais certainement aux portes du paradis, très loin des choix de *arroz de la casa, arroz con camarones, arroz con vegetales, arroz con carne, arroz con pollo.* L'énumération elle-même m'assomme.

Il ne me manquait plus qu'un bon vélo pour me rendre au stade, plus ou moins 5 kilomètres par une route panoramique peu fréquentée. Mon salaire de juillet suffirait à peine à payer mon logement et mes repas. J'étais quand même ravi de la situation.

Monsieur Baron débordait de curiosité. Il m'a questionné sans cesse sur le Québec, sur le Costa Rica, le pourquoi de ma venue à Sochaux, mes parents, mon opinion de la France. Un feu roulant de questions. Sa vision du Québec regorgeait de clichés incroyables : un pays où chaque habitant avait un lac, un pays où les automobiles avaient deux batteries dont une qu'on rentrait dans la maison le soir pour ne pas qu'elle gèle, où le saumon sautait presque dans ton assiette tellement il abondait. C'était très amusant d'échanger avec monsieur Baron. Je crois, que nous nous plaisions mutuellement. Devant mes efforts pour me trouver une bicyclette, il a fouillé dans la cave de son établissement pour en ressortir avec un vieux vélo de course des années 80. Nous avons passé l'après-midi à le nettoyer et à le régler. Il m'a raconté toutes les courses auxquelles il a participé, il avait même rêvé au Tour de France comme tous les petits français. En fin de compte, la vie est égale partout : les petits français rêvent au Tour de France, les enfants canadiens de la ligue nationale de hockey, les chiquitos costariciens de Saprissa. C'est pareil partout, parce que nous sommes semblables. Tous mes problèmes étaient résolus. J'ai remercié monsieur Baron et j'ai décidé de m'installer convenablement dans la chambre mise à ma disposition. La fenêtre donnait sur un magnifique paysage. Je pouvais admirer, tout à loisir, les différentes teintes de vert que la lumière du soleil tamisée par quelques nuages relevait ou diminuait. Je n'avais jamais vu un champ de tournesols, c'est magnifique ! C'est dans ces moments de grand calme que j'aime revoir mon film, que j'aime laisser venir à moi l'image de mon clip, que je laisse l'effet sensoriel me gagner, m'envahir. Depuis ma rencontre avec don Pedro, il ne s'est jamais passé une journée sans que je repasse mon film. Quotidiennement, je me répète les meilleures affirmations et je visionne le film détaillé de mon succès comme joueur de football. Parfois, après ces moments de calme, des pensées de gratitude envahissent mon esprit. Merci don Pedro pour la simplicité et l'efficacité de vos conseils. Merci. Je sais qu'il me dirait de me remercier aussi pour la discipline que j'affiche. Tout est à notre disposition, nous n'avons qu'à l'utiliser.

La première prise de contact avec mes coéquipiers s'est bien passée. J'ai été présenté par monsieur Perron et j'ai fait la connaissance des joueurs. Certains ont plus de trente ans et la majorité plus de 24 ans. Nous étions seulement deux très jeunes joueurs : Fadel Rhibi et moi, Benjamin Duplessis. Les deux comme attaquants. Fadel est français d'origine turque. Monsieur Perron dans son discours quotidien a insisté sur l'importance de créer un groupe uni. Les joueurs travaillaient déjà ensemble depuis dix jours et les matches préparatoires commenceraient le prochain samedi. Je n'ai pas eu beaucoup de temps pour socialiser et me faire des amis ou tout au moins des alliés. Ce qui m'a paru évident, par contre, c'est que ma forme physique dépassait de par beaucoup celle de certains vétérans. J'essayerais d'en profiter lors de ces matches préparatoires. Mon entraînement n'avait pas seulement consisté à courir, je m'étais entraîné à du renforcement musculaire et à du travail cardio-vasculaire pour résister à des efforts soutenus. De plus, avant mon départ du Costa Rica, j'avais joggé à tous les jours. Et comme je n'avais pas d'auto, j'avais utilisé mon vélo pour me déplacer. Vraiment, ma condition physique était à point. Ne restait plus qu'à m'acclimater à un style de jeu différent. Le football au Costa Rica demeure très intuitif et les structures de jeu au sol sont pratiquement inexistantes. Par contre, le jeu favorise les prouesses individuelles et cela m'a aidé à bonifier mon jeu. J'ai appris le football au Québec où il se pratique un jeu de position très serré centré sur la défensive. Mais moi, j'étais rapide, endurant, généreux avec la balle, discipliné et animé par un immense désir de gagner. J'aime gagner. Auparavant, j'étais prêt à tout faire pour jouer, voilà que maintenant, j'étais prêt à tout faire pour gagner. Était-ce le début d'une nouvelle étape ?

Nous étions mercredi et le prochain match était prévu pour le samedi. Il ne me restait que trois périodes d'entraînement avant le match. Je me suis entraîné avec beaucoup de discipline en y allant d'un effort plus grand que ce qu'on me demandait. Cette habitude d'en faire un peu plus que demandé m'est venu de mon père qui répétait souvent les paroles du Mémorandum de Dieu d'Og Mandino[9] : *Fais un kilomètre de plus.* Il ajoutait que c'était le secret de la réussite, en faire toujours un peu plus que ce que l'on nous demande. Comme je suis sensible aux mots, je n'ai jamais oublié ces paroles et, surtout, j'ai intégré cette habitude dans ma vie de tous les jours. Mon père prétendait que nous agissions beaucoup par *habitude* et que par conséquent, il fallait s'assurer de développer de bonnes habitudes d'attitude. Que les attitudes consistent en une habitude, une habitude de penser, ni plus ni moins. Il prenait l'exemple de la conduite automobile où le plus souvent notre cerveau, occupé à penser à d'autres choses, nous permet quand même de conduire. Il disait que notre cerveau représente l'exemple parfait de l'économie d'énergie. Les premières fois où j'ai conduit, je nageais de sueur, mes mains étaient crispées sur le volant et tous mes muscles étaient tendus. Mon cerveau après avoir assimilé la matière le fait maintenant *automatiquement*, sans efforts, par habitude et en économisant toute l'énergie que je déployais au début. Je conduis par habitude. Par exemple, je sors tous les matins pour aller au stade en vélo. Il m'arrivera, un jour de congé, de prendre le même chemin, forcé par l'habitude.

Si je ne me distinguais pas par mon jeu brillant, je me démarquerais, par contre, par mon attitude. Combien de fois n'a-t-on pas vu un joueur marginal, transporté par son attitude et son désir, réussir un jeu important dans un moment crucial ? Moi, je parcourrais le kilomètre de plus.

D'ailleurs, pendant les trois pratiques précédant le match, je me suis mis en valeur à plusieurs reprises par mon travail discipliné et vigoureux en plus de m'être distingué dans nos matches

---

9. Le plus grand miracle du monde

simulés par quelques belles passes à King. J'aime bien jouer avec King. Il a déjà trente-deux ans, joue mi-terrain et prodigue à tous, surtout aux jeunes, de précieux conseils. Je pense que c'est avec lui que mon jeu fonctionne le mieux. Il y a comme une chimie dans nos jeux mutuels. J'ai hâte de nous voir jouer ce match.

Je n'aime pas attendre et le temps qui nous sépare du premier match me paraît long, très long. Tout est comme figé. Je n'arrive que difficilement à me concentrer sur le moment présent. Mon père disait toujours que si on ne peut rien faire pour hier, et que si on ne peut que se préparer pour demain, il faut être attentif à ce qu'on fait maintenant. Que le bonheur est de vivre chaque minute à l'instant où elle se présente et non pas regretter celle d'hier ni de rêver à celle de demain. C'est facile à dire mais pour moi, ces trois dernières journées ont été difficiles, je n'arrêtais pas de penser au premier match de samedi.

Monsieur Perron m'a demandé de venir à son bureau. L'entretien a duré plus d'une heure. Il voulait me connaître davantage. En fait, il a profité de cet entretien pour me donner sa recette du succès au football :

— Tu dois aimer t'entraîner plus fort que n'importe quel autre joueur. Une partie de cet entraînement doit porter sur des gestes que tu n'as jamais pensé pouvoir accomplir. La confiance de savoir que tu es le mieux préparé ne se remplace pas. Rien n'ébranlera ce type de confiance.

— Monsieur Perron, comment voyez-vous l'approche mentale du jeu ?

— L'approche mentale n'est qu'une partie de la préparation. Tu dois vouloir gagner. Pour être parmi les meilleurs, il faut avoir la volonté de payer le prix jour après jour. Ce ne sera pas toujours facile de t'entraîner plus fort que les autres.

— Monsieur Perron, je le fais déjà.

— C'est vrai, mais là, aujourd'hui, tu es un illustre inconnu. Lorsque tu commenceras à être connu, à être reconnu dans la rue, à être interviewé, alors peut-être penseras-tu que tu n'as plus besoin de t'entraîner plus fort que les autres.

— J'espère que ça ne m'arrivera pas.

— Tu as la chance de faire partie d'une excellente organisation qui *pense pour toi*. FCSM t'offre un environnement positif, un support pour la nutrition, une aide à la planification de ton entraînement. Est-ce que ta famille te manque beaucoup ?

— C'est sûr qu'ils sont très loin d'ici. Mais avec l'internet, les courriels, tout n'est pas si loin. Je demeure à La vieille ferme d'Etupe, monsieur et madame Baron me traitent très bien. D'ailleurs, leur maison ressemble à la nôtre : piscine, jardin, vue extraordinaire. Je me sens chez moi.

— Parfait, parfait, m'a répondu monsieur Perron.

La sonnerie du téléphone a mis fin à l'entretien. Je n'avais jamais connu un entraîneur aussi soucieux du bien-être de ses joueurs. Il y avait eu bien sûr Alvaro, mais le Municipal Liberia ne possédait pas toutes ces ressources.

Les sept matches

Du 8 juillet au 29 juillet, le FCSM jouait sept matches amicaux contre Sion, Zagreb, Nice, Dijon, Besiktas, Panathianaikos, et un dernier dont le nom m'échappe. Tous les matches se joueraient à différents endroits en France. Je ne pouvais pas dire où se trouvaient toutes ces villes. Comme si on demandait à un étranger de localiser le village de Saint-Ludger en Beauce. Pour le premier match, nous allions à Alle en Suisse, à peine 50 kilomètres et 55 minutes en autocar. J'étais très excité, voire fébrile pour ce premier match. Le stade d'Alle est un stade non couvert situé dans une petite communauté toute pleine de verdure.

Il est à peine quinze heures, le match est prévu pour 17 heures. Je suis déjà habillé, prêt à sauter sur le terrain. Je n'en peux plus d'attendre. J'ai même de la difficulté à écouter ce que dit monsieur Perron. Finalement, se suivent les hymnes nationaux, les présentations officielles des joueurs, les discours des présidents de club et la présentation des arbitres. Tout ça me paraît interminable.

L'arbitre met finalement la balle en jeu.

Nous avons joué avec nervosité dans les trois premières minutes de jeu. Mais nous contrôlions la balle. Le jeu de King m'a fortement impressionné, il contrôlait la balle avec virtuosité et sa lecture du jeu compensait nettement son manque de vitesse. Alle n'a pas touché à la balle très souvent. Monsieur Perron nous avait avisés que le plus important dans ce match était de multiplier les passes. Que ce match consistait un des sept premiers tests et que ces matches servaient à peaufiner notre jeu collectif. Alors, nous faisions ce qu'il nous avait dit de faire : des passes. J'ai reçu le ballon de King deux ou trois fois et chaque fois je l'ai repassé à un de mes coéquipiers. Mon seul objectif était de réussir ma passe. Rien de plus. Je voulais bien jouer, je ne voulais pas commettre d'erreurs. Je sais que ce n'est pas l'attitude à avoir, qu'il est préférable de penser positivement, mais j'avais plus peur de perdre mon poste que de le gagner. Il s'agissait pour moi, d'une nouvelle ligue de football, d'un nouveau club, de nouveaux coéquipiers, d'un nouveau milieu et je n'y étais que depuis treize jours. Je me suis donc accordé le droit d'avoir peur. Je verrais pour les prochains matches. La première demie s'est déroulée sans qu'une équipe puisse arriver à marquer un but. À la mi-temps, l'entraîneur nous a encouragés à continuer à multiplier les passes et à resserrer notre jeu en défense. Il a apporté quelques changements dont celui de me retirer de la formation en faveur de Fadel, l'autre joueur de dix-neuf ans. J'aurais aimé continuer. J'étais quand même content de mon jeu. Mes quatre entraînements et ma préparation mentale de visualisation m'ont bien servi : j'ai été rapide, généreux avec la balle, et je n'ai pas commis d'erreurs. Par contre, je n'ai pas pu me démarquer et je n'ai pas réussi de tirs au but.

Dans la deuxième mi-temps, nous avons continué à contrôler le jeu. Fadel s'est démarqué à quelques reprises et à une occasion son tir a frappé le poteau. Manque de chance ! Le match s'est terminé par un pointage égal de 1-1. Le compte rendu du match sur le site se lisait ainsi :

— « Pour son premier match de préparation, le FCSM était opposé aux Suisses du FC Sion, derniers vainqueurs de la Coupe de Suisse et nouvellement promu en Super League. Débutant sur un bon rythme, les Valaisants, à dix jours de leur reprise, contrôlaient le ballon... Fadel Rhibi était bousculé dans la surface de préparation. King en profitait alors pour transformer la pénalité et marquer ainsi son premier but sous ses nouvelles couleurs. Les hommes de Paul Perron récupéraient dès lors les ballons plus haut et avaient la maîtrise du jeu. Ils se montraient d'ailleurs dangereux à plusieurs reprises notamment grâce à un Fadel Rhibi percutant. Dix nouveaux joueurs faisaient leur entrée après la pause dont le jeune canadien Benjamin Duplessis. L'entraîneur Paul Perron a utilisé tout son personnel.[10]

Monsieur Perron s'est montré très satisfait de la performance de son club. »

Notre prochain match était prévu pour le mercredi suivant au stade de Pontarlier contre le Dinamo de Zagreb.

Demain, dimanche, c'est congé. Mais pas pour moi. Je vais m'entraîner aux tirs au but et au départ-arrêt. Je suis, ce qu'on appelle en France, un *buteur-sprinter né* et je veux travailler cet aspect de mon jeu.

Nous étions rentrés tard du match d'hier et je ne me suis pas levé pour m'entraîner, comme je l'avais prévu. J'ai plutôt décidé de me balader en vélo et de profiter de cette magnifique journée pour visiter à partir d'Étuves les agglomérations de Dampierre-les-Bois et Badevel. Une balade d'environ 20 kilomètres aller-retour. J'ai foncé sur le village le plus éloigné, Badevel, avec en tête de le visiter et de revenir plus lentement pour voir aussi Dampierre-les-Bois. J'ai eu une pensée pour mes parents qui auraient certes préféré le nom de ces villages à certains noms de

---

10. http://www.fcsochaux.fr

village de par chez nous : Magog, Johnville, North Hatley. La route qui mène à Badevel est très belle, relativement droite et sans montées importantes. Le village compte 750 habitants et j'y ai vu le mausolée Japy, érigé en l'honneur d'un gars, issu d'une famille célèbre, qui est mort à l'âge de 29 ans en 1821. Au Québec, pays trop jeune, j'imagine, il n'y a pas sur nos routes tant de mausolées ou encore de cimetières nous racontant l'histoire de nos aïeux. Sur le chemin du retour, à Dampierre-les-Bois, j'ai opté pour une pause à la fontaine située dans la grande rue. En fait, je ne me suis pas arrêté pour admirer la fontaine, j'ai choisi cette place pour voir les deux filles qui y étaient déjà avec leur vélo. Il y en avait une grande et blonde et une plus petite avec les cheveux bruns. J'aime bien les brunettes, mais c'est la blonde qui a engagé la conversation :

— Bonjour, est-ce que tu t'y connais en crevaison ?

— Oui, j'en ai réparé au moins une cinquantaine !

Elles se sont regardées et ont pouffé de rire à ne plus pouvoir s'arrêter.

— Qu'est-ce qui vous fait rire tant que ça ?

Je savais très bien ce qui les faisait rire, mais j'ai décidé de jouer le jeu et j'ai sorti les mots et l'accent de chez-nous, le Québec.

— Si tu veux, je peux l'réparer, ton pneu.

Leurs rires ne me gênaient pas du tout. Que je sois en France, en Amérique latine ou encore dans un pays anglophone, mon accent ne passe jamais inaperçu. Je suis francophone avec l'accent des Québécois. L'influence du « th » anglais a changé au cours des quatre cents dernières années notre façon de dire les « di, du, ti, tu ».

Il n'y a pas qu'au Québec que ce phénomène existe, au Costa Rica, c'est la même chose. Une personne peut écouter la radio de San José puis se brancher sur une station radiophonique de

Madrid et… apprécier toute la différence dans l'accent et le choix du vocabulaire.

Les langues sont vivantes. Elles s'adaptent aux gens et aux circonstances. Elles évoluent.

La grande blonde s'est reprise un peu de son fou rire :

— Excuse-moi, c'est vraiment la première fois que j'entends de vive voix cet accent québécois, car tu es québécois, n'est-ce pas ?

— Oui, je suis québécois, dis-je avec fierté avant de m'esclaffer de rire. Je riais parce que je venais de me rappeler mon arrivée à l'aéroport de Lausanne. Suite à une question, le gars me répondait : *absolument, absolument, absolument !* Je ne comprenais rien. Il le disait tellement vite et avec un accent tellement pointu que je n'arrivais pas à comprendre, je n'entendais qu'un rapide : *oument oument oument*. Un touriste québécois m'a secouru et décodé le « absolument ». C'était gênant pour un premier contact avec la *grande francophonie*. Reste à savoir si c'était gênant pour moi ou pour lui. J'ai raconté l'incident aux deux filles, mais cela ne leur a pas paru drôle. Après tout, au Festival Juste pour Rire, on ne se bidonne pas toujours des farces des cousins français, non ? Alors, je leur ai pardonné leur manque de sens de l'humour.

— Avez-vous ce qu'il faut pour réparer la crevaison ?

— Oui, oui, m'a répondu la grande blonde qui se prénommait Alice.

J'ai réparé la crevaison dans le temps de le dire et je me suis apprêté à partir. C'est à ce moment que la petite brune a engagé une conversation :

— Moi, je m'appelle Jasmine, et toi ?

— Benjamin.

— Merci, Benjamin, pour la réparation.

Sa façon de dire Benjamin me faisait presque tourner la tête.

— Bienvenue !

Son fou rire a repris :

— En France, dit-elle, on souhaite la bienvenue aux touristes, on ne dit pas « bienvenue » après un merci.

— Ok, je le saurai pour la prochaine fois.

— Ah, tu penses qu'il pourrait y avoir une *prochaine* fois ?

Elle me taquinait. Je le sentais.

— Euh, oui, hésitai-je.

— Tu fais beaucoup de vélo ?

— Un peu tous les jours, pour me rendre à Sochaux.

— Tu travailles à l'usine ?

— Non, je suis à l'essai pour le club Sochaux.

Elle me fit un air de *Ah ! Non, pas du foot !*

— Ah oui ? dit-elle sur un ton où j'ai senti un peu de déplaisir.

— Tu n'aimes pas le soccer, hein ?

— Ici, on dit du football, au Québec vous dites *soccer ?*

— Oui, parce que le football pour nous c'est un autre sport.

— Ouais, le football américain, je n'aime pas !

— Quel sport pratiques-tu alors ?

Les yeux de Jasmine se sont alors illuminés :

— Moi, je craque pour le tennis. Puis, mon second choix serait le vélo. Et toi, tu aimes d'autres sports que le football ?

— J'en pratique d'autres, mais celui que j'aime par-dessus tout, c'est le football.

— C'est le football qui t'amène ici ?

— Oui.

— Avec toute ta famille ?

— J'ai quitté ma famille à 18 ans lorsqu'ils ont décidé de rentrer du Costa Rica. Moi, j'y suis demeuré jusqu'à il y a un mois.

La distance qui nous séparait d'Étuves n'était que de 4 kilomètres et déjà nous approchions de l'intersection. Je devais pour ma part m'engager à droite sur le chemin qui menait à la vieille ferme.

— Alors, merci les filles pour la balade, je dois tourner à droite.

Nous nous sommes quittés à la croisée. Elles ont continué et moi je me suis dépêché à rentrer, la faim me tenaillait. Le menu du soir proposait une salade paysanne et une escalope de veau. C'était divin. Je me suis couché tôt après avoir repassé mon programme de visualisation.

Les entraînements précédant le match de mercredi se sont déroulés avec beaucoup d'enthousiasme. Fadel, King et moi avons fait beaucoup d'exercices supplémentaires afin d'améliorer notre jeu offensif. Bien qu'il soit agréable avec moi, je sens bien que Fadel se méfie de moi. Nous avons le même âge et, j'imagine, que son désir de se tailler un poste est égal au mien.

Les paroles de don Pedro résonnent dans ma tête : *Peux-tu imaginer connaître toutes les qualités de tes compagnons et concevoir tout ce qu'ils pourraient t'apporter ? Vois toujours dans l'autre ce qu'il y a de bon.*

— Fadel, tu possèdes vraiment un lancer foudroyant.

— Tu crois ?

— Bien sûr. Nous pourrions faire un malheur à Sochaux !

— Que veux-tu dire ?

— Tu sais, moi, j'excelle à faire des passes dans la zone dangereuse. Nous pourrions combiner nos talents, genre, je fais la passe, tu fais le but.

— Ce n'est pas déjà ce que nous faisons ?

— Oui, si tu veux, on le fait parce que c'est le jeu à faire. Mais peux-tu imaginer si nous le faisions dans le but de devenir le *duo offensif* de Sochaux. De façon, à ce qu'ils ne puissent pas nous séparer, de façon à ce que ton succès retombe sur moi et que mon succès retombe sur toi. De façon, à ce que, dès que le club se présente dans un stade, on pense immédiatement au duo Duplessis-Rhibi comme on pense à Ronaldhino-Ronaldo. Je sais

67

bien que ça paraît prétentieux, mais pourquoi ne pas combiner nos talents ?

Fadel semblait attiré par la proposition, par le concept. Je n'y voyais que des avantages, nous serions associés plutôt que compétiteurs. Il m'apparaissait le meilleur complément pour mon talent. Je savais compter des buts mais j'excellais aussi dans les passes. Il était meilleur que moi pour compter, pourquoi ne pas mettre en commun nos forces respectives ?

J'ai convaincu Fadel de présenter conjointement la même proposition à King. C'était plus délicat à cause de son âge. Mais pour lui, c'était aussi une occasion en or de prolonger sa carrière ou encore de la terminer avec beaucoup d'éclat. Fadel et moi savions compter des buts et nous allions en compter beaucoup.

Finalement, les six derniers matches préparatoires nous ont permis à Fadel, King et à moi, de nous démarquer nettement par rapport aux autres joueurs offensifs du club. Nous avons compté neuf des treize buts marqués au cours de ces 6 matches.

Les duos Rhibi-Duplessis, King-Rhibi et King-Duplessis étaient de tous les écrits du club, même les journalistes de l'Est Républicain commençaient à tourner autour de King, notre aîné. Notre tour allait venir, nous en étions convaincus.

La saison allait commencer et j'avais en poche un contrat de deux ans. La vie était magnifique.

Jasmine

Mon rêve s'actualisait, je jouais en France malgré mes difficultés au Costa Rica. Monsieur Perron disait que le football costaricien était atteint d'une maladie grave : l'immobilisme traditionnel. Une maladie causant la cécité et la surdité. Les dirigeants
de leur fédération devenaient aveugles devant leurs lacunes et
sourds à toutes critiques. Après le mondial de 2006 en Allemagne,
les costariciens disaient que le football pratiqué au mondial de
2006 empêchait la possibilité d'étinceler au niveau individuel et
favorisait le jeu de positions. Les joueurs excellaient tellement à ce
jeu de position que le spectateur pouvait rarement apprécier une
pièce de jeu individuel. Pour un québécois, ça voulait dire que la
pire équipe de hockey réussissait à annuler contre la meilleure
équipe suite à du jeu défensif terne mais efficace. La vérité résidait plutôt dans le fait que le football costaricien manquait drama-
tiquement de stratégies de jeu au sol, de profondeur en défensive,
et de rapidité en attaque. La lenteur des revirements faisait pitié à
voir. C'était la plus grande lacune. En fait, le football costaricien
dépendait plus de l'improvisation que d'une structure de jeu
pensée et élaborée. Avouer ces faits présentait, pour le pays, un
tour de force pour lequel les costariciens n'étaient pas préparés.

Pour y avoir vécu quelques années, je dirais que le plus grand problème du Costa Rica demeure la suffisance. Dans les journaux, la télévision, les discussions, on compare toujours le Costa Rica à la Suisse de l'Amérique Latine. Prétention terrible venant du fait que lorsque le pays se compare aux autres pays, il le fait en s'assurant que le benchmark se fasse avec des pays plus pauvres ou encore des pays qui n'ont pas atteint le même développement. En fait, monsieur Perron disait qu'un joueur habitué à jouer dans un jeu structuré ne pouvait que difficilement briller dans un jeu basé sur l'improvisation et l'individualisme.

J'allais avoir vingt ans, et excepté pour MariaRosa, une amie de San Ramon, je n'ai pas, pour ainsi dire, fréquenté beaucoup de filles. Les cours à l'université du Costa Rica[11], mon horaire d'entraînement, le transport ont fait en sorte qu'il m'a été difficile de fréquenter régulièrement mes collègues de l'université. Comme je n'étais pas, en plus, toujours assidu aux cours, je n'avais pas la priorité de choisir telle ou telle équipe pour les travaux de groupe.

Je n'ai pas écrit à MariaRosa depuis mon arrivée à Sochaux. Elle ne l'a pas fait, non plus. Il est vrai que c'est plus facile pour moi qui dispose d'un ordinateur alors que MariaRosa doit se rendre chaque fois à un café internet. L'adage : loin des yeux, loin du cœur, s'avérait exact.

Madame Baron a préparé pour l'occasion de mon anniversaire un souper québécois traditionnel : une soupe aux pois jaunes, une tourtière du Lac Saint-Jean, servie avec des pommes de terre en purée, une petite salade aux tomates et pour dessert un *pouding chômeur*.[12] Il s'agit d'un gâteau mouillé d'une sauce faite à base de cassonade (sucre brun). Je l'ignorais mais Madame Baron m'a dit que ce pouding venait de l'époque de la dernière guerre alors que tout était rationné.

---

11. http://www.ucr.ac.cr/
12. http://www.copines.ca/Recettes/169__Pouding_chomeur.html

— C'est très facile d'obtenir des recettes d'autres pays depuis qu'il y a l'internet. Il suffit d'être un peu curieux, disait-elle.

Ma mère préparait un pouding chômeur un peu différent. Elle remplaçait la cassonnade par du sirop d'érable. J'adorais.

Madame Baron m'avait préparé une autre surprise. Elle tenait absolument à me présenter sa petite fille en visite chez elle. Ma mère aurait sans doute fait une scène, elle détestait les « blind dates » ou madame chose présente mademoiselle chose à monsieur chose. Elle disait que ça ne marchait jamais et que ce n'était pas l'affaire des parents de présenter quelqu'un à leur fils ou à leur fille. J'étais un peu d'accord (comme dans les sondages : êtes-vous totalement d'accord, moyennement d'accord, d'accord, moyennement en désaccord, totalement en désaccord) avec ma mère, surtout à cause de ma difficulté à entreprendre une conversation avec un parfait étranger. Mais ce soir, ça faisait mon bonheur, j'avais le goût de parler, de parler avec une jeune fille. Il m'arrivait de plus en plus de penser qu'il ne pouvait y avoir que le football dans la vie.

Madame Baron nous avait réservé la table numéro 1, celle de gauche sur la terrasse avec vue sur la piscine. Le soir, les lueurs créées par les lumières de la piscine rendent le site très romantique. Lorsque madame Baron m'a présenté sa petite fille, j'ai été très surpris. C'était la Jasmine de la balade en vélo ! Elle avait accepté la proposition de sa grand-mère sachant très bien que j'étais le jeune québécois vivant à l'hôtel. Lorsque sa grand-mère a réalisé que nous nous connaissions, Jasmine s'est esclaffée du même fou rire que lors de notre première rencontre.

— Grand-mère, j'ai rencontré Benjamin en vélo. Qui est pris qui voulait prendre ! Elle nous a arnaqués avec son sens de l'humour et sa discrétion.

Elle était radieuse, fascinante. Contre toutes mes attentes, la conversation s'est engagée facilement dans le rire et dans la simplicité. Nous avons parlé de ses études en *langues étrangères appli-quées* à l'université de Franche-comté, elle voulait travailler en tourisme et parlait couramment le français, l'anglais et l'allemand. Nous nous sommes raconté quelques souvenirs d'enfance, des anecdotes d'étudiants et nos désirs les plus fous. Je ne me souviens pas d'avoir tant ri alors que nous nous racontions tous les différents préjugés existants sur nos cultures distinctes, comme quoi : *tous les français portent un béret, ont mauvaise haleine, boivent du vin, prennent deux heures pour expliquer une chose qui normalement prendrait cinq minutes, sont de bons baiseurs ;* alors que : *tous les québécois sont des fermiers, vivent dans le bois, n'ont pas de manière, ajoutent des « tu » et des « là » dans les conversations, sacrent, n'ont pas de culture.* Jamais, je n'ai tant ri avec une fille. Ses éclats de rire, ses gestes souples, ses clignements d'yeux, sa façon de me regarder faisaient de moi un spectateur attentif et ébloui devant la scène. Je ne possédais pas cette désinvolture ! Instinctivement, je sentais une immense force d'attraction pour Jasmine. Si c'était ça le désir, je voudrais vivre dans cet état pour le reste de mes jours. Comme si une bulle m'avait enveloppé. Une bulle qui filtrait tout ce qu'elle disait pour me le rendre avec toute la féminité de l'univers. La totalité de son être me parlait.

Jasmine devait rester chez ses grands-parents jusqu'au dimanche prochain. Il y avait deux matches cette semaine, mercredi et samedi. Je pourrais donc la voir. Il le fallait, puisque nous partions ensuite pour quatre jours.

— Dis, on peut se voir jeudi matin, je serai en congé ?

Jasmine n'a pas eu le temps de répondre, sa grand-mère est arrivée avec le dessert :

— Tu vas te régaler avec ce dessert purement québécois !

— Qu'est-ce que c'est ? Un gâteau ?

— C'est un pouding chômeur ! Un gâteau mouillé d'une sauce au sucre brun, dit madame Baron très fière de son repas québécois.

Avec tout l'assortiment de desserts en France, je me demandais si le pouding chômeur tiendrait la route.

— Hum, c'est délicieux! Mais trop sucré! Murmura Jasmine à sa grand-mère.

Il était déjà près de 22 heures. J'aime me coucher tôt la veille d'un match. D'autant plus, que je ne disposais que de sept matches pour me tailler un poste avec cette équipe. J'étais déchiré entre le bonheur et le devoir : heureux, très heureux d'être avec Jasmine et l'obligation que je m'étais moi-même imposé de me coucher tôt les veilles de match.

J'ai regardé ma montre pour une nième fois, ce n'est pas passé inaperçu par Jasmine.

— Il se fait un peu tard, non?

J'hésitais, je voulais que cette soirée remplie de rires et sous-entendus se prolonge.

— Oui, demain nous jouons et…

Elle ne m'a pas laissé terminer ma phrase.

— Je peux aller te voir à l'entraînement demain? Vous êtes toujours au stade Bonal?

Je pense qu'au cours des dernières quatre années, personne n'est jamais venu voir un entraînement. Mon père a assisté à beaucoup de rencontres, mais des entraînements, pas souvent. Elle m'a regardé avec un petit sourire espiègle, comme si elle avait voulu me dire : touché!

J'ai bégayé un :

— Ça serait super!

Elle a ramassé son sac et s'est levée. Je me suis levé aussi. Nos doigts se sont touchés. Son petit sourire malicieux a cédé la place à un regard rempli de tendresse et de désir. Je lui ai murmuré qu'elle était très belle et que j'avais passé une soirée extraordinaire. Elle a chuchoté à mon oreille :

— Moi aussi, j'ai adoré!

Ses lèvres mouillées et chatoyantes se sont approchées de mes lèvres pour un baiser merveilleux, voire féerique. Ses lèvres avaient le goût d'une grosse fraise mûre et juteuse. Elle est repartie vers la maison de sa grand-mère et elle a disparu dans la nuit. Je suis resté planté là, près de la piscine à me demander si tout ça n'était pas un rêve. Un rêve qui m'a semblé plus fort que mon rêve de football.

Le réveil a été plutôt brutal, Jasmine n'est pas venue à l'entraînement. Je l'ai cherchée partout parmi les quelques fans présents. Elle n'y était pas. Je n'avais pas son numéro de téléphone et que pouvais-je faire ? Je me sentais impuissant. Je me suis dit qu'elle avait eu un empêchement, que ce n'était pas si important, que je la verrais demain pour le vélo, qu'elle avait peut-être changé d'idée à mon propos, qu'elle n'était pas vraiment intéressée à moi, que... j'étais tombé dans une cascade d'images déplaisantes et dévalorisantes. C'est King qui m'a sorti de mon cauchemar :

— Duplessis, ce soir on gagne !

Le match inaugural, j'en ai fait mon affaire. *King-Rhibi-Duplessis*, voilà ce que les spectateurs ont scandé tout le long du match. Nous avons gagné par le pointage de 3-1. Nous, les signataires du contrat d'entraide, avons dominé tous les autres joueurs par notre vitesse, notre ardeur au jeu et par notre désir palpable de gagner. J'ai compté mes deux premiers buts avec le FSCM sous les yeux amoureux de Jasmine assise au premier rang des estrades rouges. Elle ne m'avait pas oublié ! Elle était là !

La montée de King-Rhibi-Duplessis

Je croyais intensément à l'idée de mettre nos talents en commun. Je ne voyais pas d'autres alternatives pour réussir rapidement dans un sport collectif. Au début, Rhibi et King y croyaient mais je les sentais tièdes à l'idée. J'exigeais des coéquipiers convaincus à 100 %. Mon père (encore lui!) insistait toujours pour une démarche claire, nette, sans équivoque. Pour illustrer sa pensée, il disait avec ironie qu'une femme ne pouvait pas être à moitié enceinte, ou bien, elle l'était, ou bien, elle ne l'était pas. Il ne pouvait pas y avoir de zone grise! J'ai utilisé un vieux truc pour prouver ma théorie. Je leur ai demandé:

— Pouvez-vous casser ce crayon à mine en deux?

Ils se sont regardés, amusés, et sans dire un seul mot, ils ont brisé le crayon.

Puis, j'ai pris un paquet de 25 crayons que j'ai enroulé d'un élastique de façon à former un immense crayon de plusieurs centimètres de diamètre et je leur ai dit avec un air de défi:

— Et maintenant, *messieurs*?

Ils n'y sont pas parvenus même après plusieurs tentatives.

— Les boys, ceci illustre parfaitement ma pensée. Seuls, nous sommes comme ce crayon, fragile. Ensemble, nous serons *incassables*! Nous devons combiner, sans compromis, nos efforts et nos talents. Je voudrais qu'entre nous existe un contrat tacite inédit : *je veille sur tes succès, tu veilles sur mes succès, nous veillons sur nos succès*. J'ai préparé avec mon ordinateur trois certificats d'engagement que nous avons signé officiellement et déposé dans le coffret de sûreté de King notre aîné.

Il ne nous a pas fallu beaucoup de temps pour nous imposer au FCSM. Nos talents se complétaient parfaitement. Combien de fois, King a opté pour une passe pour l'un d'entre nous alors qu'il aurait pu tirer au but? Combien de fois, Rhibi, presque assuré d'un but m'a remis la balle pour que je lance dans un but déserté par le gardien? Combien de fois, ai-je fait la pareille? Des milliers de fois, je pense. King prendra sa retraite à la fin de la saison. Il y a déjà cinq ans que nous jouons ensemble. Il a allongé sa carrière d'au moins deux saisons. Quand à Rhibi, il a été deux fois, au cours des cinq dernières années, le meilleur buteur de la ligue. Il vient de signer, à 25 ans, un contrat avec le prestigieux FC Barcelona[13]. Je n'ai jamais terminé au premier rang des buteurs, mais je me classe parmi les cinq premiers. Mon entente avec le FCSM se termine cette année. Bien que ce soit illégal de solliciter mes services avant la fin de mon contrat, tout le monde sait que le FC Barcelona souhaiterait nous réunir : Rhibi et moi.

King et moi nous nous sommes acclimatés aux nouveaux venus remplaçant Rhibi. Le club est en restructuration et nous n'avons pas gagné autant de matches que par les années passées. Nous avons terminé cinquième et nous avons été éliminés dès la première ronde des séries éliminatoires. Je pense que c'est la première fois que ça fait mon bonheur d'être éliminé si tôt. J'ai besoin de vacances, je n'ai pas arrêté depuis les cinq dernières années.

---

13. http://www.fcbarcelona.com/esp/home-page/home/home.shtml

Le livre d'or

Jasmine et moi avons décidé de passer un mois de vacances à l'Hôtel Paris de Monaco. Elle préférait Honolulu, ou encore Tahiti où, disait-elle, nous aurions été assurés de passer inaperçus. Notre vie à Sochaux était devenu *affaire publique,* il n'y avait pas d'endroits où nous allions sans que nous soyons salués, questionnés, encouragés et parfois chahutés. Lorsque je dis Sochaux, je pense aussi à toute la région, Besançon incluse. Je m'accommodais bien de la situation, surtout lorsqu'il s'agissait d'autographier des documents pour les jeunes. Mais Jasmine se faisait harceler par toutes sortes de questions sur les raisons la poussant à continuer sa carrière de traductrice :

— Mais Jasmine, ton copain gagne une fortune, pourquoi continuer ? Mais Jasmine, tu as déjà une maison extraordinaire, pourquoi travailler ? Mais Jasmine, vous possédez tout ce que vous voulez, pourquoi t'éreinter à ce boulot ?

Cela faisait partie du prix à payer pour être un joueur professionnel reconnu. Mais, il s'agissait là de mon choix, pas de celui de Jasmine. Elle était traductrice et adorait son travail. Elle voulait monter sa propre maison de traduction et y travaillait avec acharnement. Elle le faisait parce que ça l'intéressait, point. Elle ne le faisait pas pour l'argent, peu important à ses yeux. D'ailleurs, ensemble nous en gagnions plus dans une année que la majorité des gens en 30 ans de travail.

Je partageais ma vie avec Jasmine depuis déjà deux ans. Rien n'avait changé entre nous depuis notre première soirée à l'hôtel *La vieille ferme*. Mon désir d'être avec elle, comme une source d'eau pure, ne se tarissait pas. Nous nous aimions à la folie et, ma foi, la vie nous souriait. Nous étions si heureux.

Dès que j'ai appris la nouvelle, j'ai réservé deux places sur le vol d'Air Canada qui nous ramène au Québec depuis Paris. Nous avons annulé nos vacances à Monaco. La nouvelle m'a foudroyé. Mon père est mort d'un infarctus massif du myocarde, il n'avait que 52 ans. Nous prévoyions nous rencontrer à Monaco pour les vacances. Il voulait faire la Côte d'Azur avec ma mère.

C'est la première fois en cinq ans que je remets les pieds au Québec. Ma famille préférait venir en France et puis, il y a tellement d'autres destinations. Tout a changé, même le nom de l'aéroport. Tout diffère tellement de la France : les voitures, la rapidité avec laquelle tout se fait, les douaniers, la langue.

Nous sommes arrivés très tard au salon funéraire, c'était presque l'heure de la fermeture. Dès que je suis entré, je me suis effondré en larmes. Il ne s'agissait pas de tristesse, plutôt un cri de colère : *non tu ne peux pas me faire ça, tu es trop jeune pour mourir !* J'adorais mon père. J'ai toujours eu du plaisir en sa présence. Et il m'aimait, je me suis toujours senti aimé et apprécié. Jamais il ne m'a contesté dans mes choix, questionné certes, mais contesté, non ! Je me sentais accepté. J'étais perdu dans mes pensées et dans mes pleurs lorsque j'ai reconnu la voix forte de mon oncle Pierrot s'adressant à son fils :

— Va chercher sa mère, grouille !

Il y avait tellement de monde qui connaissait mon père, que j'ai eu du mal à me frayer un chemin jusqu'à son cercueil. J'y suis arrivé en même temps que ma mère, mon frère et mes sœurs. Nous étions tous désorientés par sa mort, lui qui nous avait guidés avec tant d'adresse. Ma mère inconsolable pleurait sans cesse réconfortée par ses filles et sa mère. Quelle tristesse que d'assister à cette scène. Je me sentais désarmé devant les larmes de ma mère, je n'ai su que lui donner la main et la prendre dans mes bras tout en la berçant.

Le lendemain, on a incinéré son corps après une brève cérémonie. La maison funéraire, aidée de mes oncles et tantes, a organisé une réception comme c'est coutume de le faire au Québec. J'y ai rencontré des personnes que je n'avais pas vues depuis une dizaine d'années. On n'a pas parlé beaucoup de mon père, non. Les gens ont voulu savoir ce qu'était la vie d'un footballeur professionnel, combien ils gagnaient, les petits secrets d'un tel, les meilleurs dans ceci, les meilleurs dans cela, comment ils sont vraiment, et si je connaissais un tel. Bref, une indélicatesse éhontée ! Mon père vient de mourir et tout ce qui les intéresse c'est de *toucher* à ce qu'ils croient *valable : la vie d'un joueur de football !* J'aurais aimé qu'on me raconte des histoires de mon père, des anecdotes, qu'on me parle de sa vie. Par respect pour ma mère amusée par les questions, je me suis plié au jeu. Cela semblait la divertir d'écouter les petits épisodes racontant ma vie de footballeur qu'elle ne connaissait pas beaucoup. Ma mère s'est approchée et m'a effleuré le bras en murmurant :

— Ton père a laissé un livre pour toi.

Libraire de profession, que pouvait-il me léguer d'autre ?

— Un livre ?

— Son livre d'or qu'il a écrit pour toi !

— Je ne savais pas que papa écrivait, dis-je étonné !

Ma mère m'a remis le livre tout relié cuir :

— Il contient ses réflexions sur ses découvertes.

— Ses découvertes ? Dis-je surpris.

79

— Ton père, à chaque fois qu'il approfondissait un sujet et qu'il en venait à une certitude, la notait. Parfois, il y inscrivait des pensées tirées de ses nombreuses lectures.

Le livre brun s'insérait dans une couverture en cuir travaillé à la main. La pochette se composait de trois cuirs différents superposés l'un à l'autre. La plus grande pièce, couleur marine, s'ornait d'une magnifique étoile jaune à cinq pointes. L'ouvrage, admirable, obligeait qu'on le traite avec soin comme s'il s'agissait d'un trésor. Je reconnaissais la minutie de mon père pour les choses qu'il aimait. Sans être volumineux, il contenait pour le moins une centaine de pages de papier fin bordé or. Sur plusieurs d'entre elles, une carte représentant une parole célèbre y était collée. J'aurais tout donné pour en lire une partie. Impossible ! Je suis resté à la réception jusqu'à la toute fin, puis nous avons raccompagné maman à la maison. J'ai sombré dans un sommeil profond. Jasmine m'a réveillé et nous avons fait l'amour, accompagnés d'une tendresse inconnue, d'une douceur insoupçonnée et enveloppés d'une grâce amoureuse provenant directement du ciel. Les paroles de la chanson de Johnny Hallyday[14] résonnent encore dans ma tête :

« Quand tes cheveux s'étalent
Comme un soleil d'été
Et que ton oreiller
Ressemble aux champs de blé
Quand l'ombre et la lumière
dessinent sur ton corps
Des montagnes des forêts
Et des îles aux trésors
Que je t'aime, que je t'aime, que je t'aime,
Que je t'aime, que je t'aime, que je t'aime ! »

---

14. http://www.paroles.net/chansons/20871.htm

Jasmine mon amoureuse, mon oasis relationnel, s'est rendormie. Je me suis levé à la recherche du livre. Il m'attendait près de la table de travail sur laquelle mon père avait dû l'écrire. Je l'ai ouvert à la première page. Deux cartes se voisinaient, la première évoquait une parole de Saint-Exupéry : *« Ce qui embellit le désert, c'est qu'il cache un puits quelque part. »*, la deuxième citait un proverbe zen : *« Si tu comprends, les choses sont comme elles sont, si tu ne comprends pas, les choses sont comme elles sont. »* En page trois, on ne lisait qu'une seule phrase écrite en rouge avec des lettres de deux fois la taille normale : *« Ose ta vie, toi seul la vivras ! »*

Je me suis mis à pleurer, sans savoir pourquoi. C'était intarissable, des larmes chaudes accompagnées de sanglots. Je reconnaissais la calligraphie de mon père, mais ce sont les mots qui m'interpellaient, qui déchiraient ma façade si habilement montée, qui perçaient mes défenses. *« Ose ta vie, toi seul la vivras ! »*. Je conduisais les plus belles voitures, je possédais une maison de rêve, je vivais avec une femme merveilleuse et belle, j'étais riche, j'étais aimé, j'avais une réputation en France et probablement dans tout le monde du football ? Que pourrais-je souhaiter de plus ? Que pourrais-je avoir que je n'ai pas déjà ? Je ne le savais pas. Je prenais conscience que, malgré tout ce que j'avais, tout ce que je faisais, il y avait un grand vide en moi. Un espace qui demandait à être rempli. Une faim à rassasier. Un désert à irriguer. Hanté par un sentiment d'insatisfaction, peu importe ce que j'accomplissais, peu importe ce que je possédais. De quoi s'agissait-il ? Je ne saurais pas le dire. J'espérais le réveil de Jasmine, peut-être m'aiderait-elle à y voir clair, à identifier les causes de cette insatisfaction ?

J'ai éteint la lampe du bureau de mon père. Seul, dans le noir, les lettres rouges se mélangeaient, disparaissaient et revenaient s'écrire devant mes yeux : « Ose ta vie, toi seul la vivras ! ». Je ne comprenais pas pourquoi cette phrase avait déclenché ces larmes et cette insatisfaction. Je me sentais perdu et démuni devant cette émotion inconnue.

Deuxième partie

Les vacances

Je n'ai jamais aimé les adieux : trop dramatiques, trop interminables, trop chaque fois semblables. Je ne sais pas quoi dire. Il faudrait promettre ceci, cela. Mais comment promettre de revenir, d'écrire, de téléphoner, alors que je l'ai rarement fait. Les vraies communications ont toujours été avec mon père et ma mère. Rarement ai-je écrit à mon frère ou à mes sœurs. Les conversations téléphoniques se sont toujours terminées par : « Tes sœurs te font dire bonjour », « Laurence fait dire qu'elle a vu le reportage », ou encore « tu sais que ton frère... ». Je ne connaissais pas la recette pour garder une relation vivante. Plus jeune, je pensais qu'il s'agissait de ma responsabilité, mon devoir de maintenir une relation avec la famille. Aujourd'hui, je sais qu'une relation possède deux bouts, comme une corde. Chacun est responsable de son bout. Pourquoi nourrirais-je une relation unidirectionnelle avec mon frère et mes sœurs ? Ils vivent leur vie dans des domaines variés, loin du sport professionnel. Nos trajectoires ne se croiseront pas. Nous n'avions pas d'intérêts communs excepté la famille. D'ailleurs, au cours des dernières années, ma fibre familiale s'est métamorphosée. Je suis devenu peu à peu un étranger dans ma propre famille. L'éloignement, les influences du

Costa Rica et de la France ont façonné des façons différentes de vivre et de penser. J'imagine, avec difficulté, être issu de cette famille dont je ne reconnais plus les balises. Les souvenirs des soupers de famille d'antan s'estompent comme les détails sur une vieille photographie jaunie par le temps. Tout a changé et ma sœur Laurence n'a pas manqué de me le rappeler la veille de mon départ :

— Benjamin, maintenant que papa est mort, on ne te reverra plus ? Hein ? Je le sens, tu sais.

— Pourquoi dis-tu cela ? Lui avais-je répondu prudemment.

Elle s'est retournée, m'a fixé et, les yeux pleins d'eau, m'a répondu :

— Il y a trop de différences entre nos mondes ! Le seul lien qui te retenait à nous s'est effrité. Puis, de toute façon, il n'y a jamais rien eu d'autre que le maudit soccer pour toi ! Rien d'autre.

Impatienté qu'on me fasse la leçon, j'ai répondu :

— Alors, Jasmine ne compte pas, elle ?

Ma sœur s'est presque étouffée dans un rire sarcastique :

— Parlons-en de Jasmine ! Tu n'as même pas eu la délicatesse, la décence de venir nous la présenter. C'est quasi une chance que papa soit décédé, on ne l'aurait pas connue !

— Hé, petite sœur, je te rappelle que je vis en France...

Elle m'a interrompu sèchement :

— Laisse faire la « petite sœur ». Oui, oui, tu vis en France, tu gagnes plein d'argent, tu es une star du soccer, mais tu n'as quand même pas eu le cœur de nous la présenter, à nous, *ta propre famille* ! Au fait, depuis combien de temps n'es-tu pas venu à la maison ? Quatre ans ? Cinq ans ? Pour un gars qui prétendait tant aimer son père, on ne peut pas dire que tu l'as gâté par tes visites, hein ?

J'étais hors de moi, frustré par les reproches. Le cœur rempli de colère, j'ai hurlé en claquant la porte :

— Je m'en vais prendre l'air.

La longue marche m'a calmé. Les reproches étaient fondés. Je n'écrivais pas, je ne visitais pas, je ne téléphonais qu'aux anniversaires. Je n'y pensais pas, moi, à la famille !

Le départ, comme pressenti, a été pénible : ma mère et Véronique pleuraient. Alexandre, lui, promettait de nous visiter. Seule, manquait Laurence qui m'avait laissé une lettre. J'ai promis de communiquer plus souvent de mes nouvelles.

Au petit matin, Jasmine et moi avons pris la route de Québec en passant par Trois-Rivières où j'espérais revoir un ancien camarade. Mon amoureuse séjournait au Québec pour la première fois. Les grandes distances séparant les villes la fascinaient. Parcourir les deux cent quarante kilomètres reliant Montréal-Québec en un peu plus de deux heures l'étonnait, l'amusait. J'avais choisi, pour notre premier arrêt, l'incontournable Château Frontenac. Depuis notre chambre, on voyait la terrasse Dufferin[15] et le fleuve Saint-Laurent. Nous avons arpenté tout le vieux Québec, de la rue du Trésor, à la rue Sainte-Anne jusqu'à la Place Royale située sur le Cap Diamant.

— Tu vois, c'est ici même que Samuel de Champlain a érigé un poste fortifié le 3 juillet 1608. C'est le berceau de la civilisation française en Amérique !

Jasmine a été charmé par le vieux Québec[16] et l'histoire de la première colonie française. Elle comprenait mieux la lutte incessante que les québécois ont mené pour conserver leur langue. Elle aurait voulu y demeurer plus longtemps. Moi, j'avais besoin d'air, besoin de changement, besoin d'espace. Nous avons plutôt filé vers la Gaspésie en passant par les chutes Montmorency, l'île d'Orléans, Tadoussac, La Malbaie, Baie Comeau, Matane, Gaspé,

---

15. http://www.gg.ca/gg/fgg/bios/01/dufferin_f.asp
16. Ville faisant partie du patrimoine mondial : http://www.pc.gc.ca/progs/spm-whs/itm2-/site9_F.asp

Percé, New Carlisle, Rimouski et finalement Montréal. Les grands espaces ainsi que la traversée Baie-Comeau-Matane sur le brise-glace N.M. Camille Marcoux a émerveillé mon amoureuse. En une semaine, on a fait le tour de la péninsule ! Tous ces kilomètres parcourus, tous ces nouveaux paysages ont occupé mon esprit. Je n'ai pas repensé au FCSM, à ma famille ou à mon père. Je n'ai eu que du bon temps à décoder les petits secrets de la Gaspésie.

De retour à Montréal pour la dernière nuit avant le retour en France, une surprise de taille m'attendait alors que Jasmine, déchaînée comme un enfant de dix ans, sautait sur le lit et criait en riant de tout cœur :

— On s'en va à Bora Bora[17], tralala lala ! On s'en va à Bora Bora, tralala lala !

Elle m'a entraîné sur le lit et, comme deux gamins, nous avons sauté sur le lit en criant de plaisir :

— On s'en va à Bora Bora, tralala lala ! On s'en va à Bora Bora, tralala, lala !

À mon insu, elle avait changé les billets d'avion. Elle savait que des vacances nous feraient un bien immense et feraient peut-être disparaître ses fréquents maux de tête attribués au stress.

Survoler l'île de Bora Bora, c'est entrevoir le paradis ! Une île dessinée comme un bijou baignant dans une mer où les bleus du saphir et les verts de l'émeraude se marient mais conservent leur merveilleuse identité. Je n'ai rien admiré de plus beau, seuls les yeux de Jasmine, après l'amour, me renvoient les reflets de l'émeraude. Je la sens tellement heureuse d'être ici avec moi. Je suis choyé par sa présence et son amour.

Le site de l'hôtel défiait toute imagination avec les chambres reposant sur des pilotis émergeant directement de cette mer

---

17. http://www.letahititraveler.com/islandguide/boraintro.asp

d'émeraudes. J'en ai eu le souffle coupé, jour après jour, de contempler la beauté de cette île. Nous avons visité tous les endroits possibles mais nous avons surtout marché sur les magnifiques plages de sable blanc. Nous avons lu, dormi et échangé sur tout ce que nous avions vécu. Alors que nous marchions sur la plage sous un ciel étoilé, Jasmine m'a confié :

— Sais-tu à quoi je rêvais lorsque j'étais toute petite ?

— Non, dis-moi ?

— Mon père m'avait offert pour l'anniversaire de mes dix ans une collection de livres racontant les aventures d'une jeune fille, Sophie. Je m'imaginais moi aussi écrire des histoires.

— Ah oui ?

— J'ai toujours rêvé d'écrire. Raconter des histoires aux enfants.

— C'est chouette. Pourquoi ne le fais-tu pas ?

— J'ai l'impression que ça prend beaucoup de talent. Quand je regarde tout ce qui s'écrit aujourd'hui, je doute posséder tout ce talent.

— Tu crois que la réussite ne dépend que du talent ? Le talent n'est pas tout, encore faut-il le cultiver. Des gars talentueux qui ont échoué, j'en ai connu plusieurs.

— Tu crois vraiment que je pourrais ?

— Bien sûr. Il suffit de faire la différence entre un rêve et un projet ?

— Qu'est-ce que c'est ?

— Un projet, c'est un rêve accompagné d'un plan d'action.

— C'est une belle définition, monsieur le professeur !

— Et qu'écrirais-tu ?

— Je pense souvent à une copine du lycée, Olivia, sauvée in extremis d'un suicide grâce à la vigilance de sa mère. Elle n'avait que seize ans. Je raconterais son histoire.

— C'est un sujet délicat, non ?

— Oui, je sais. Mais son témoignage vibre d'une authenticité incroyable. Je ne connaissais pas les ravages de la dépression.

— Tu la vois encore ?

— Oui, à l'occasion.

— Tu penses qu'elle serait d'accord ?

— Je ne sais pas.

Nous avons partagé nos rêves et nos premières véritables vacances. Pourquoi ne pouvons-nous pas retenir ces purs moments de bonheur ?

C'est fou ce qu'un changement de décor accomplit. Le monde m'apparaissait sous un autre angle. Ce qui était *si important* a cédé la place à ce qui n'était pas *si important*. Le football cédait la place à Jasmine. À bien y penser, est-ce que je mettais les priorités à la bonne place ? Aujourd'hui, je sais ce qui compte vraiment.

Je ne sais pas pourquoi mais nos yeux s'habituent à voir les choses d'une certaine façon. À la fin, on pense voir, mais en fait, on ne voit que ce que l'on veut voir. Enfant, j'habitais une rue bordée par une rangée d'arbres qui s'ornaient de magnifiques fleurs roses et blanches. C'était tellement enchanteur que les gens des quartiers avoisinants venaient admirer et sentir l'arôme de ces arbres. À ma grande surprise, nos voisins immédiats ne voyaient plus les fleurs de ces arbres ! Ils ne percevaient que le désagrément à ramasser, au printemps, tous ces pétales et, à l'automne, tous ces petits fruits. Pour moi, c'était ça vieillir, ne plus pouvoir s'enthousiasmer. J'avais peur de vieillir. Peur que mes yeux, désormais usés, ne distinguent plus la beauté dans chaque chose ! Je ne voulais surtout pas que mon regard porté sur Jasmine change. Je ne m'imaginais pas aimer une autre femme. Que doit-on faire pour cultiver l'amour ?

Le temps des vacances s'est écoulé trop rapidement. Pour en préserver le plus merveilleux souvenir, j'ai choisi pour Jasmine un collier aux couleurs de la mer et du sable blanc. Lorsque je la regarde, ses yeux, accentués par les couleurs du collier, me renvoient des reflets d'un étincelant vert pâle. Ce joyau deviendra mon plus beau souvenir.

Nous devions rentrer, les vacances se terminaient.

La rentrée

C'est la première fois en carrière que je me présente au camp préparatoire à la saison dans une forme physique couci-couça. Un mois sans exercices ne réduit pas votre forme à néant, mais les étirements des premières journées vous rappellent la douceur des vacances. Il y a sept nouveaux visages, des jeunes et des moins jeunes dont le costaricien Christian Dolanes en remplacement de King. Pour relancer notre attaque dégarnie par les départs de King et de Rhibi, monsieur Perron essaie plusieurs combinaisons de joueurs. Je joue comme attaquant avec Dolanes et le brésilien Santis, nouvellement acquis de Copenhague. Ces ajouts nous permettront de nous maintenir au classement. Si c'est le souhait des entraîneurs, il faut dire que c'est la préoccupation de l'administration. Une meilleure place au classement général relancerait la vente des billets de saison qui, encore une fois cette année, a baissé. Quand on pense que l'Impact de Montréal[18], équipe au premier rang de la United Soccer League[19], attire plus de partisans ! Je le répète, nous devons monter au classement en dimi-

---

18. http://montrealimpact.com/index_FR.asp
19. http://www.uslsoccer.com/statistics/index_E.html

nuant le nombre de matches nuls. Le problème du FCSM, c'est la peur de perdre ! Je préfère perdre après avoir tout tenté que de mériter un maigre point au classement. Annuler, ce n'est pas gagner, c'est se bercer dans l'illusion qu'il ne s'agit pas d'une défaite. Non, pour moi, annuler, c'est perdre. Une seule loi prévaut au sport professionnel : gagner ! Aucun athlète sérieux ne vise la défaite. Au contraire, il ambitionne l'amélioration constante qui mène à la victoire. C'est sûr qu'il n'y a pas que la compétition et la victoire dans la vie, il y a aussi la coopération, l'entraide. Mais lorsque tu es un joueur de football professionnel, seule la victoire compte.

J'étais occupé du matin au soir avec les entraînements, les entrevues et le projet spécial du FCSM consistant à promener les joueurs du club dans différents établissements de la communauté environnante tels que les hôpitaux pour enfants, les foyers pour personnes âgées, les camps de vacances pour les jeunes. Le club voulait absolument augmenter le nombre de partisans présents aux matches locaux et le faisait en améliorant son image corporative. Le FCSM existait depuis des années et avait décidé de changer la perception des gens. Il se voulait maintenant dynamique et présent dans la communauté. J'imagine aussi que le coût d'opération d'un club n'était pas donné et que chaque entrée de fonds régulière n'était pas à dédaigner. Contrairement à mes coéquipiers, j'adorais cet exercice de rencontrer les gens, serrer des mains, croiser des regards, signer des autographes. J'ai rencontré, lors d'une de ces visites, un jeune garçon âgé de dix ans. Quel sourire, quelle joie je lui ai fait lorsque je lui ai remis spontanément mon chandail. Il était fou de joie. L'infirmière m'a confié qu'il souffrait de leucémie et qu'il n'avait pas beaucoup de chances de s'en sortir.

Jasmine, de son côté, élaborait son plan de travail de l'automne et, comme elle n'aimait toujours pas le football, séjournait à l'occasion chez ses parents à Besançon. Je la rejoignais dès que je pouvais. Il s'ensuivait des discussions intéressantes avec la mère de Jasmine, madame Martin. Elle adorait la généalogie et passait une grande partie de son temps à effectuer des recherches. C'est d'ailleurs, madame Martin qui m'a raconté le voyage entrepris par mon aïeul Louis en 1666. Périple qui l'a amené en Nouvelle-France sur le *XXIV JUIN*.

Depuis notre retour de vacances, madame Martin trouvait Jasmine un peu pâle et souvent fatiguée :

— Tu devrais aller voir notre médecin de famille, Jasmine. Tu as mauvaise mine ce soir.

Chaque fois que madame Martin parlait de santé, Jasmine et moi échangions, en cachette, un regard complice. Nous ne voulions pas annoncer prématurément un début de grossesse.

— Maman, je suis allée chez le médecin, j'ai passé tous les tests possibles et j'aurai les résultats demain, je crois !

— Très bien, alors, nous verrons. T'a-t-il prescrit des vitamines ?

— Maman ! Nous attendons les résultats.

Nous avions tellement hâte de connaître les résultats. J'avais peine à y croire, je serais peut-être père. Demain, nous saurions.

La secrétaire du médecin a appelé tel que convenu. Non, Jasmine n'était pas enceinte, mais elle devait revoir le médecin pour des examens plus approfondis. Ses maux de tête répétés ainsi que sa fatigue inquiétaient le médecin qui avait prescrit des examens neurologiques et radiologiques.

C'est la première fois que je dois interrompre mon entraînement pour prendre une communication téléphonique. L'entraîneur, mis au courant, me passe l'appel en me faisant un signe de la main. Un petit signe de bonne chance, il pense que Jasmine est enceinte ! C'est Jasmine au bout du fil :

— Benjamin !

— Oui !

Elle sanglote à l'autre bout du fil, et me dit toute émotionnée :

— Peux-tu rentrer à la maison maintenant ?

— Oui, oui, bien sûr ! Qu'est-ce qui se passe ?

— Viens, on en parlera, me répond-elle dans un murmure noyé par ses pleurs.

— J'arrive.

J'ai prévenu l'entraîneur et j'ai filé à toute allure. Il ne pouvait s'agir que d'une mauvaise nouvelle. Mon Coupé 407 a dévoré la route jusqu'à Besançon. Dès que je suis arrivé, j'ai su qu'il y avait quelque chose d'anormal. Ses parents étaient là, tout en larmes, et, Jasmine inconsolable s'est jetée dans mes bras. Elle pleurait et sanglotait en même temps. Je l'ai prise dans mes bras et je l'ai serrée contre moi avec tout mon amour. Personne ne parlait. Nous sommes restés ainsi sans parler, sans bouger, ne partageant que la chaleur de nos corps et le rythme synchronisé de nos respirations. Jasmine a relevé la tête, m'a regardé dans les yeux et m'a murmuré :

— Le médecin m'a diagnostiqué un cancer du cerveau.

La nouvelle m'a frappé de plein fouet, je ne pouvais pas y croire. Je suis resté là, immobile, en répétant :

— Non, non, non ! Ce n'est pas possible, on n'a pas le cancer du cerveau à 25 ans. Non, non, c'est une erreur !

Les résultats des examens indiquaient un problème potentiel au niveau du cerveau. Le scanner détectait une masse située à la base du crâne près du cervelet. Le médecin suggérait une biopsie des cellules de cette masse.

Nous avons tous pleuré à chaudes larmes, inconsolables, démunis ne sachant trop quoi faire. Les parents de Jasmine étaient atterrés. Ils présageaient le pire.

Après une attente interminable de cinq jours, nous avons appris, suite à la biopsie, qu'il s'agissait d'un médulloblastome vernien, une tumeur maligne à croissance très rapide. Un cancer fréquent chez les enfants mais rare chez les adultes. La science ne sait pas comment se développe le cancer du cerveau et ne peut donc pas proposer de moyens de prévention. Quant au traitement, il s'agit d'une intervention chirurgicale pour retirer la tumeur, suivie par une radiothérapie. Les chances de réussite sont variables en fonction du type de tumeur, de sa taille et de sa localisation dans le cerveau. Or, la tumeur, de bonne taille, était difficile à atteindre. Deux éléments très inquiétants.

Dans l'attente de la date de l'opération, madame Martin, Alice et moi avons organisé une journée rencontre à *La vieille ferme*. La journée a été magnifique, le ciel du plus beau bleu nous a accompagnés toute la journée. Sa mère avait réuni pour l'occasion tous ceux avec qui Jasmine entretenait une relation amicale : cousins, cousines, amis, amies, professeurs, oncles, tantes, copains de travail. Il y avait une seule consigne : les invités ne devaient pas apporter cadeau. Seule Jasmine ferait des cadeaux. Elle avait préparé pour chacun d'entre eux une petite carte soulignant ce qu'elle appréciait d'eux accompagné d'un petit cadeau souvenir. Ce n'était pas de grands cadeaux, mais ils avaient une valeur que seule l'amitié peut apporter. Jasmine m'avait prévenu que j'aurais mon cadeau plus tard. De toutes les fêtes auxquelles j'ai assisté, jamais je n'ai vu une telle démonstration d'amitié. Personne ne connaissait l'état de santé de Jasmine.

Lorsque j'ai expliqué la situation à mon entraîneur. Tout de suite, le club m'a donné congé pour les matches préparatoires et nous avons convenu de réviser la situation à la semaine. Le club a organisé une conférence de presse avisant les médias de mon absence prolongée pour des raisons familiales. Toutes les rumeurs possibles ont été publiées, la plus blessante ayant trait à des aventures extraconjugales.

Dans les semaines qui ont suivi, il y a eu l'ablation partielle de la tumeur, la dure récupération de l'opération et le début de la radiothérapie. Nous nous reléguions à sa chambre d'hôpital, son père, sa mère et sa grande amie Alice. L'état de santé de Jasmine ne s'est jamais amélioré. Nous savions qu'elle allait mourir. La révolte de Jasmine ne se tarissait pas : « pourquoi moi ? », « je n'ai rien fait pour mériter de mourir à 25 ans ! ». Elle était parfois des jours sans nous adresser la parole. Elle paraissait enfermée dans ses pensées, prisonnière d'un triste destin. En d'autres occasions, elle pleurait sans cesse, inconsolable, ou encore refusait toute nourriture. Je me souviendrai toujours de notre dernière conversation, si brève. C'était au début de la cinquième semaine, il était à peine six heures du matin et lorsqu'elle s'est réveillée, j'ai su qu'elle était totalement lucide. Ses yeux me le disaient. Elle m'a pris la main, m'a souri et m'a dit :

— Benjamin, je t'aime depuis que je t'ai vu près de la fontaine à Dampierre-les-Bois. Tu étais si beau et si drôle avec ton accent !

— Moi aussi, je t'aime, ai-je répondu les larmes aux yeux.

— Ne pleure pas, Benjamin !

— Comment ne pas pleurer, Jasmine ? Comment ne pas crier l'injustice ? Comment accepter ? Comment ne pas maudire le sort ? Comment ne pas être en colère ?

Elle a serré ma main un peu plus fort :

— Je ne sais pas. J'ai lu un jour un livre qui disait que la souffrance commence toujours par les mots « moi, je… ». J'ai eu la chance de te connaître, de vivre avec toi, et j'ai fait ce que je voulais faire. Moi aussi, je souhaiterais que ma vie continue ! Je ne peux rien faire pour changer la situation. Mais, je ne veux pas mourir en colère. Si je dois mourir bientôt, que ce soit dans la satisfaction d'avoir vécu ce que je voulais vivre.

Puis, elle m'a regardé avec ses beaux yeux verts et m'a murmuré :

— Benjamin, souviens-toi de nos rêves. Raconte-moi les plus beaux moments que nous avons vécus ensemble. Fais-moi rêver mon bel amour ! Allez, raconte !

Je lui ai raconté tout notre amour. Son fou rire de notre première rencontre, nos premiers baisers, nos ballades en vélo. Je ne sais pas si elle entendait l'histoire. Parfois, elle sursautait sur son lit, toute perdue, les yeux hagards :

— Qu'est-ce qui m'arrive ? Qu'est-ce qui se passe ?

Ou encore elle se mettait à crier :

— Je ne veux pas mourir, je ne veux pas mourir !

C'était alors d'une tristesse à crever le cœur.

Et elle se rendormait. Nous ne savions pas si elle était consciente ou pas. Quand je ne lui racontais pas notre histoire, son père, un gros homme de 100 kilos, lui chantait des berceuses en sanglotant. C'était son seul enfant. Il répétait dix fois par jour :

— Un enfant ne doit pas mourir avant ses parents ! Un enfant de doit pas mourir avant ses parents, c'est injuste !

Les médecins ont tout tenté pour sauver Jasmine qui est décédée quinze jours plus tard dans mes bras. Elle a ouvert les yeux et murmuré :

— Benjamin, j'ai tellement soif !

Je lui ai soulevé la tête, elle a fermé les yeux et j'ai senti la vie la quitter. Elle n'était plus avec nous. Un immense frisson s'est emparé de moi alors que je sentais ses mains glisser sur mon corps. J'ai essayé de suivre cette sensation qui s'enroulait autour de moi, puis, tout d'un coup, la sensation s'est arrêtée. Elle n'était plus là. J'ai gardé son corps contre le mien en espérant que le souffle reprenne son rythme, que la vie ne la quitte pas.

Le vide absolu

Du diagnostic à la mort de Jasmine, il s'était écoulé neuf semaines. On dit que le temps arrange tout. Un mois plus tard, je suis encore perdu dans la grande maison, je la cherche partout et à l'occasion je prononce son nom dans l'espoir qu'elle me réponde. Le psychologue du club m'a beaucoup aidé à *évacuer*, à raconter ce que je ressentais. Mais je ne vais pas beaucoup mieux. Je m'ennuie. Elle me manque terriblement.

Le FCSM a été super avec moi, tout le monde m'a encouragé et supporté.

La saison de football entame sa neuvième semaine. J'ai raté tous les matches hors concours ainsi que les huit premiers matches. Mais là, je suis de retour et je me défonce pour reprendre ma forme physique et mon poste d'attaquant. Le terrain est le seul endroit où je ne pense pas à Jasmine. Comme si le football m'anesthésiait, endormait ma douleur.

Le plus difficile, c'est quand je retourne à la maison et que je vois tous les objets qui lui ont appartenu. Les souvenirs, alors, m'étouffent. J'ai décidé de faire le ménage et de me débarrasser de tout ce qui est inutile. C'est en vidant une petite mallette de Jasmine que j'ai retrouvé le livre d'or de mon père. Je l'avais complètement oublié, celui-là. En fait, je ne voulais pas m'en rappeler. Assis par terre, j'ai ouvert le livre. La lettre de Laurence m'est apparue :

« Cher Benjamin, j'ai choisi de ne pas te saluer avant ton départ. Pour moi, la mort de papa nous aura éloignés davantage alors que j'aurais voulu mieux te connaître. Je penserai souvent à toi. »

Quel dommage. J'ai tout de suite pensé à une bouée de sauvetage. Je ne voulais pas parler à Laurence maintenant. Mes dernières communications avec la famille avaient été difficiles. Monsieur et madame Martin avaient insisté pour une crémation le lendemain même du décès, ce qui n'avait pas laissé suffisamment de temps à ma famille pour assister à la cérémonie. Je pense que cela avait froissé un peu la famille.

J'ai décidé de tout donner, Alice aura les vêtements et la famille Martin les nombreux bijoux et livres. Je ne conserverai que le collier et les centaines de photos.

Les jours se sont égrainés lentement. Je vis enfermé dans une bulle grise d'où je ne sors que pour mes parties de football qui ne mènent à rien. Je joue sans passion, sans âme. Le plaisir m'a quitté en même temps que Jasmine. Je sors avec les copains, je vais au cinéma, mais en fait, je fais semblant de m'amuser. Je continue à penser que je ne méritais pas ça, que cette disparition est une injustice, que s'il y a un dieu, il doit être cinglé de retirer la vie à une jeune femme de 25 ans alors qu'il y a plein de gens âgés qui ne demandent qu'à mourir. J'ai toujours pensé que seuls les idiots ne pouvaient voir et apprécier la chance qu'il nous est donné de vivre. Je devenais idiot ! Je n'étais pas le seul à le penser, l'article de L'Est Républicain : « Duplessis se meurt d'ennui ! » dénonçait mon déséquilibre affectif et proposait aux dirigeants du club de me céder à un rôle de réserviste le temps de retrouver l'enthousiasme nécessaire pour jouer à tous les matches. Au début de la maladie de Jasmine, le même journaliste avait raconté toutes sortes de faussetés sur ma vie intime avec Jasmine. Je n'avais pas besoin de mauvaise presse. J'avais le support du club, oui, mais il fallait que je me retrouve. J'étais en bonne condition physique, mais le football exige beaucoup de disponibilité physique et mentale. Je n'étais pas vraiment disponible, mentalement.

La sonnerie du téléphone m'a réveillé :

— Allô !

Une voix dynamique me répond :

— Madame Martin ?

— Il n'y a pas de madame Martin.

— Madame Jasmine Martin ?

— Madame Martin est décédée.

C'est sur un ton décidément moins dynamique que la dame m'a répondu :

— Mille excuses monsieur. Je suis Catherine Du Blason de la bijouterie « La Perle » et, comme je n'ai pas eu de nouvelles de madame Martin concernant le bijou, je me suis permis de vous rappeler que le bijou est prêt. Mais comment auriez-vous pu savoir ?

C'est le genre d'appel qui m'agresse :

— Non, je ne savais pas. J'irai le chercher. Où êtes-vous situés ?

— À Sochaux, monsieur. À l'intersection des rues de la République et du 14 juillet, tout près de l'école maternelle du centre.

— D'accord, je passerai.

Je n'avais pas entendu parler d'un achat de bijou. Sans doute s'agissait-il d'une réparation. La préposée au service m'a remis une belle petite boîte bleue que je me suis empressé d'enfouir dans mes poches. Je n'y ai plus repensé. Ce n'est qu'à mon retour du stade Bonal que je me suis souvenu de la boîte. Elle était toute petite. Je l'ai ouverte, il y avait un anneau. Je l'ai pris, il était trop grand pour Jasmine. C'était donc pour moi. Je l'ai glissé à mon doigt et je l'ai regardé. Des mots y étaient ciselés. Je l'ai retiré et je l'ai approché de la lumière. Oui, on pouvait lire : « *Ose ta vie* ». Je connaissais la suite. Jasmine impressionnée par la phrase de mon père et l'effet qu'elle avait eu sur moi m'avait offert cet anneau. Elle voulait que je vive pleinement. J'ai pleuré, elle se savait mourante et elle m'invitait à vivre avec toute l'audace que suggéraient les mots. Je me suis mis à la recherche du livre que j'ai retrouvé dans la bibliothèque entre deux revues du National Geographic.[20] J'ai retrouvé immédiatement la page trois, et j'ai décidé de lire ce que mon père y avait écrit.

Il y avait une centaine de pages, certaines écrites avec soin, d'autres remplies de pensées, d'autres rédigées comme si elles faisaient partie d'un journal quotidien. Il semblait y avoir un ordre classifié selon la compréhension des choses. Il y avait beaucoup d'idées en vrac, certaines étaient développées. Le livre contenait de nombreuses références aux livres que mon père avait lus et des expériences vécues. Il était hors de question d'aborder ce livre comme un roman. Il fallait lire une pensée qui m'intéressait et y réfléchir ou tout au moins y lire le développement de la compréhension. Il n'y avait rien de compliqué, mais ce que je lisais était rempli de bon sens. À la page 12, j'ai retrouvé une pensée réconfortante : « *Tu es prisonnier de ce que tu refuses et tu peux te libérer de ce que tu acceptes* ». Est-ce que je refusais d'accepter la mort de Jasmine ? Est-ce je voulais me libérer de cette souffrance ou encore est-ce que je me complaisais dans le « ce qui m'arrive, c'est terrible, pourquoi moi ? ».

---

20. http://www.nationalgeographic.com

104

Le livre était une mine d'or! Je devais apprendre à y exploiter le filon. Ma tête comprenait les mots inscrits, je n'étais pas sûr, par contre, de bien en palper le sens. Facile de dire « tu es prisonnier de ce que tu refuses », mais qu'est-ce que cela veut dire? Comment puis-je appliquer cette pensée dans ma vie, qu'est-ce que je refuse? Pourquoi je refuse? Quelle est la base du refus, de l'acceptation? Pourquoi ne suis-je pas conscient de mes refus et acceptations? Des pensées de mon père surgissait un questionnement qui ne s'arrêtait pas. Qui pourrait répondre à ces questions alors que mon père était décédé? J'ai songé à don Pedro, mais cela faisait si longtemps. Peut-être était-il déménagé, malade ou tout simplement décédé. Il n'était déjà plus très jeune à l'époque. Cela faisait déjà plus de cinq ans. Nous étions à la mi-saison. J'avais quatorze jours de congé pour me rendre au Costa Rica. Il ne manquait plus que de vérifier si don Pedro pouvait et voulait me recevoir. Or, je savais qu'il n'avait pas le téléphone et que le courrier prendrait plus de trois semaines. Alvaro Rodriguez, oui! Mon ancien entraîneur vivait peut-être encore à Liberia. Alvaro m'a obtenu l'information. Don Pedro était toujours à Santa Cecilia et, oui, il acceptait de me rencontrer.

Santa Cecilia

Deux éléments caractérisent l'aéroport de Libéria : une seule piste sous une chaleur accablante. Alvaro m'a accueilli et m'a conduit jusqu'au Four Season Resort de la péninsule de Papagayo[21], une balade de plus ou moins trente minutes. Je devais y rester une semaine, le temps de mes rencontres avec don Pedro. J'avais ramené différents cadeaux à Alvaro : un uniforme du FCSM et la plus récente version d'un ordinateur Dell. Il aimait utiliser l'internet pour se renseigner sur le football. Nous avons dîné ensemble et nous nous sommes raconté toutes les histoires possibles des cinq dernières années. Je lui ai décrit mes années avec le FCSM, ma rencontre avec Jasmine et les derniers événements qui m'amenaient à Liberia.

Incrustée dans une faune luxuriante, la route qui mène à Santa Cecilia n'a pas changé ou si peu. Je retrouvais avec joie la longue allée conduisant à la maison de don Pedro. J'ai souvent parlé de cet homme si sage à Jasmine, je regrettais qu'elle n'y soit pas. Il était là avec ses fleurs ! Ça me faisait chaud au cœur de le voir. Il ne semblait pas avoir vieilli. Il m'apparaissait en pleine

---

21. http://www.peninsulapapagayo.com/index.aspx

forme. Il resplendissait de bonheur. Je suis descendu de voiture et il m'a accueilli avec son sourire si chaleureux et son regard paisible. Sa joie était palpable, tout comme la mienne. Il m'a pris dans ses bras et m'a tapé affectueusement le dos de ses grosses mains :

— On m'a raconté tes succès, jeune homme ! Je t'en félicite.

— Merci, don Pedro. Je suis très heureux de pouvoir vous rencontrer. Merci.

— Comment se porte ton camélia ?

La question avait de quoi me surprendre, ça faisait plus de cinq ans qu'il me l'avait donné en m'invitant à soigner tout mon être comme je chérirais ce camélia. Heureusement, je l'avais toujours, il resplendissait de santé en plein milieu de mon jardin.

— Très bien, il est magnifique.

— Alors, que cherches-tu, aujourd'hui ?

— À comprendre.

— Que veux-tu comprendre ?

— Pourquoi la femme que j'aime est morte ?

— Ne comprends-tu pas le cycle de la naissance et de la mort ?

— Oui, je le comprends, mais…

Il m'a interrompu, ses yeux bleus m'ont fixé pleins de compassion :

— Mais… la difficulté n'est pas de comprendre, n'est-ce pas ?

— C'est au cœur que j'ai mal !

— Ah, qu'il est donc difficile *d'accepter* !

J'ai réfléchi et la pensée de mon père est revenue : « *Tu es prisonnier de ce que tu refuses et tu peux te libérer de ce que tu acceptes* ».

— Oui, c'est vrai. Je n'arrive pas à accepter. La mort m'a volé Jasmine.

— Ce n'est pas tant la mort de Jasmine qui est si blessante, mais la manière dont tu te sens concerné par cet événement. La dernière fois que nous nous sommes rencontrés, nous avons parlé de ce qu'il y avait de commun à tous les hommes, dont le fait que nous soyons mortels, tu te rappelles ?

— Oui.

— Le message de la mort est simple. La mort des autres te rappelle que tu es vivant. La tienne mérite une plus grande réflexion. La plupart des gens évitent de penser à la mort. Ils font comme si ce n'était pas pour eux. Ils ont peur de mourir. Cette peur t'empêche de vivre au présent. Tu vois, être humain, c'est vivre au présent. Hier n'existe plus et demain n'est pas encore là.

— Nous nous aimions. Nous étions heureux. Pourquoi devait-elle mourir ?

— Pour que tu comprennes !

— Que je comprenne que je suis seul maintenant ?

— Au jardin botanique, il y avait un immense cactus qui a donné naissance au cours de sa vie à près de 3 000 plantes. D'ici deux à trois semaines, ce magnifique cactus va mourir. Il est dans son cycle final. Tous les visiteurs semblaient accepter ce fait. Sa mission est terminée.

— Ce n'est pas facile d'accepter la mort de la personne qu'on aime.

— C'est vrai. Nous croyons que ce n'est pas pour nous. Le voyage de Jasmine était terminé. On oublie la mort. Par cet oubli, l'intensité de la vie est réduite. Si tu savais que tu dois mourir dans deux ans, ne crois-tu pas que tu mettrais tes projets les plus urgents en marche ?

— C'est sûr, mais comment se rappeler que nous allons mourir ? C'est un peu lugubre, non ? Je ne veux pas penser à ma mort à tous les jours.

— Par la conscience de ta nature humaine, tu te rappelles ? Mortel, changeant, faillible, influençable, à la recherche du plaisir, résistant au changement et avec des tendances innées. Ce sont là des caractéristiques communes à tous les humains. Je t'explique. En fait, c'est le mode d'emploi pour être humain :

1) Tu es *Mortel* : *Vis au présent*

2) Tu es *Changeant* : *Vois le cadeau*. Considère le changement comme l'accompagnateur de ta vie. Initie des activités que tu ne ferais pas. Va au-delà des apparences.

3) Tu es *Faillible* : *Oui à l'erreur, oui à l'amélioration*. Plusieurs pensent qu'il s'agit d'une caractéristique négative. Il n'en n'est rien. Le seul moyen d'être humain est de se donner le droit à l'erreur qui lui, engendre le droit à l'amélioration. C'est le processus de l'apprentissage.

4) Tu es *Influençable* : *Ne te conforme pas*. Reconnais qui tu es, reste toi-même dans toutes circonstances et ne cherche pas à te conformer.

5) Tu es à la *Recherche du plaisir* : *Oui, j'ai le droit à...* Vis, bon sens !

6) Tu es *Résistant au changement* : *Fais du changement l'accompagnateur de ta vie*. La peur du changement, ouf ! Vois toujours les avantages dans tous changements.

7) Tu as des *Tendances innées* : *Écoute ce que tu ressens*. Bien sûr, tu as des forces et des faiblesses, des attirances et des répulsions. Accepte tes tendances et vis selon ce que tu ressens. Il s'agit de l'écoute de soi.

— Don Pedro, c'est complexe, non ?

— Être surhumain, c'est fuir ta réalité, c'est vouloir « exister parce que l'autre n'existe pas » car tu es *plus que...* ! Combien de temps vas-tu croire que tu n'es pas humain ? Laisse-moi te raconter une histoire simple qui m'a fasciné. Par un beau dimanche après-midi, on avait organisé une course d'escargots. Il y avait en fait, deux escargots de la même taille. La distance à parcourir était de quinze centimètres. On a donné le départ et finalement après une longue course, l'escargot de gauche a gagné la course.

Je trouvais l'histoire un peu banale.

— Alors, c'est tout ? Dis-je

Don Pedro était ravi de ma question :

— Crois-tu que l'escargot gagnant est désormais *PLUS ESCARGOT ?*

— Non, bien sûr !

— Alors, un humain plus instruit, plus habile, plus grand, plus noir, plus gros, plus... est-il *PLUS HUMAIN ?*

— Non, évidemment !

— Attribuer une valeur humaine par comparaison, c'est se déconnecter de ta réalité d'être humain. Tu discrimines en fonction de l'activité et non en fonction de la réalité humaine. Sa vraie nature ne change pas.

— C'est difficile de ne pas juger. Au football, tout fonctionne par comparaison. C'est un peu la réplique de la vie, non ?

— C'est vrai que c'est difficile. D'autant plus, que souvent tu te juges toi-même ! Le jugement, c'est comme un feu rouge, un signe de danger.

— Lorsqu'un journaliste dit que tel joueur est meilleur qu'un autre, c'est un jugement ? Alors, on ne peut pas faire ça ?

— Benjamin, si je devais être opéré d'urgence au cerveau, comme tout le monde, je voudrais avoir le meilleur médecin, le plus habile, le plus connaissant, le plus...

— Alors ?

— Développer son talent et ses habilités, c'est parfait. Pense à un axe de coordonnées. La ligne horizontale représente ton talent, tes aptitudes, tes connaissances et, si tu le veux, tu peux pousser cette ligne à l'infini et devenir le meilleur dans quelque sport, quelque discipline. C'est ton quotidien.

— Que représente alors l'axe vertical ?

— Tes idéaux.

— Mes idéaux, je ne comprends plus !

— Il y a trois états dans ta vie : Être, Faire et Avoir. Un « état de faire » appartient à ton axe horizontal, comme jouer au football. Un « état d'être » appartient à ta verticalité. Être heureux est un état de reconnaissance de ta véritable nature, donc un « état d'être ». Tu pourrais être heureux et insatisfait de ta performance au football et vice-versa. La vie consiste à connecter nos idéaux avec notre quotidien.

— Je n'y arriverai jamais.

— Et oui, tu vas y arriver. La conscience de ces caractéristiques va apaiser ta vie et la rende plus harmonieuse.

Les dernières paroles ont continué à résonner dans ma tête jusqu'à tard dans la nuit. J'étais venu voir don Pedro pour comprendre la mort de Jasmine et je me retrouvais avec un discours sur la constitution de ma nature. J'étais partagé. Je trouvais l'explication du message de la mort de Jasmine un peu mince : « pour que tu comprennes ». Pour comprendre que j'étais en vie ? De toute façon, à quoi rimait toute cette vie ? Qu'étais-je venu faire sur la terre ? Et que se passait-il après la vie ?

Je me suis endormi sans avoir trouvé de réponse.

Au lever, je devais m'entraîner et j'ai initié un petit changement dans ma façon de m'entraîner, aujourd'hui, pas de course mais plutôt un kilomètre de natation et une heure de tennis. Pour le moins, cette variation m'a apporté du plaisir et une nouvelle sensation et, ma foi, je me suis amusé.

Sur l'heure du dîner, je me suis retrouvé avec don Pedro. Je m'étais préparé et j'y suis allé de ma question :

— Don Pedro, j'ai hérité d'un cahier de notes appartenant à mon père, il y écrivait ses découvertes et ses réflexions. J'ai lu une phrase et j'aimerais connaître votre interprétation.

— Je t'écoute.

— Mon père a écrit : « *Ose ta vie, toi seul la vivras !* ».

Ses yeux se sont illuminés, il a souri et ses paroles ont empli la petite cour :

— Si Jasmine avait demandé à tous ses amis de mourir à sa place, y aurait-il eu une seule personne pour mourir à sa place ?

— Non, évidemment !

— Lorsque tu te conformes aux idées prodiguées par la société, par ton éducation, par ton milieu familial, ce ne sont pas tes idées qui vivent en toi, ce sont les idées des autres, n'est-ce pas ?

— Oui.

— Tu dois *tout* questionner et vérifier si cela te convient ou non ? Ce qui te convient tu l'acceptes et ce qui ne te convient pas tu le rejettes, d'accord ?

— Oui.

— La raison est fort simple, si ce ne sont pas tes choix qui vivent en toi, ce sont alors les choix des autres. Et comme il n'y aura jamais personne pour mourir à ta place… ne laisse jamais personne vivre à ta place. « Ose ta vie », c'est faire toujours ce qui est bon pour toi. Tu n'as qu'une seule obligation : *Vivre ta vie !*

— N'est-ce pas un peu égoïste de prétendre que c'est ma seule obligation ?

— Ne pense pas que cela veut dire ne pas tenir compte des autres ? Comment pourrais-tu vivre sans les autres ? De fait, tu ne peux pas vivre contre les autres ni sans les autres, tu ne peux vivre qu'avec les autres. Donc, il faut mettre tes facultés au service des autres. Imagine que tous et chacun nous le faisions.

— Comme je l'ai fait au football avec ma liste de qualités !

— Voilà. D'ailleurs, ne viens-tu pas ici puiser dans mes ressources ? La vie, pour celui qui écoute, est un processus d'enrichissement. En partageant, l'autre y ajoute sa connaissance qui n'est pas autre chose que : savoir et expérience.

—Avec cette façon de penser, don Pedro, qui ne voudrait pas être riche ?

—Eh, oui, qui ne voudrait s'enrichir dans ces circonstances ?

La vie me semblait toujours tellement facile à vivre avec les conseils de don Pedro. Sa façon de penser éclairait le chemin et je pouvais mieux voir ce qui se déroulait devant moi. Notre habilité à inventer un monde qui n'existe pas est sans aucun doute notre pire ennemi.

La rencontre

Le retour de Libéria s'est effectué d'une façon admirable, les exigences de sécurité des compagnies aériennes ayant été le seul désagrément. En avion, je ne dors pas, je préfère lire ou réfléchir. La sensation d'être au-dessus des événements m'a toujours attiré : tu te lèves par un ciel gris, tu te rends à l'aéroport zigzagant dans le trafic, tu t'installes dans le cockpit, tu prépares ton vol, tu obtiens l'autorisation de décoller et tu t'arraches de toute cette grisaille. Tu voles dans un univers rempli de lumière ou sous des millions d'étoiles. Les paroles de don Pedro, à l'instar de cet avion, m'élèvent au-delà des émotions qui parfois m'empêchent de voir le bonheur. Je lis les notes. La dernière rencontre a cicatrisé ma blessure. Il m'a fait travailler avec les concepts de visualisation. J'ai créé de toutes pièces un atelier intérieur. Je devais choisir un lieu ouvert sur le monde, un site inspirant, où je pourrais me réfugier pour réfléchir, comprendre, planifier, me soigner, me questionner, décider, visualiser. J'ai aménagé mon espace virtuel sur la montagne dominant le glacier et le lac Peyto[22]. Un site à couper le souffle. Au début, je trouvais l'idée de me réfu-

---

22. http://images.google.ca/images?svnum=10&hl=fr&lr=&q=peyto+lake

115

gier dans un « espace virtuel » un peu farfelue. J'ai réalisé que nous le faisons tous dès que nous engageons un dialogue intérieur. Aussi bien le faire dans un endroit aménagé selon mes goûts personnels. Moi, j'y ai installé une immense bibliothèque en acajou comme dans les films anglais de l'époque. Mon intuition saura s'y inspirer pour les questions difficiles. Mais ce n'est pas tout, j'y ai placé aussi un miroir pour travailler l'image de moi, une immense horloge grand-père pour planifier le temps, un écran géant pour mes exercices de visualisation, une pharmacie pour me soigner, une terrasse circulaire sur le toit du monde pour travailler l'ouverture aux idées, un foyer pour y brûler ce dont je n'ai pas besoin et en récupérer la lumière et l'énergie, et finalement un ascenseur pour travailler ma compréhension des événements. Comme tout ascenseur, il monte et descend. Je peux monter au-delà de l'événement et percevoir d'autres perspectives ou je peux descendre en m'intériorisant pour mieux comprendre. L'ascenseur, c'est la conscience.

Je n'utilisais jusqu'alors la visualisation que pour *faire de meilleurs jeux ou obtenir plus de succès*. Je n'avais pas réalisé tout le potentiel impliqué dans cet outil. Je pouvais, dès lors, transformer mon être. Transformer est un bien grand mot, je dirais plutôt prendre conscience de qui je suis, de questionner mes motivations, de visualiser le bien-être. D'ailleurs, je pratiquais, depuis quelques jours, un exercice de visualisation qui consistait à inviter Jasmine dans mon *espace virtuel*. Nous étions assis côte à côte sur un magnifique divan en cuir couleur rubis, faisant face à la bibliothèque alors que le feu du foyer nous réchauffait. Elle portait le collier émeraude et sable, toujours aussi belle. Je lui tenais la main :

— Jasmine, mon bel amour. Es-tu bien ? Tu me manques. Je dois apprendre à vivre sans toi. Je dois apprendre à vivre avec moi-même.

Elle me caressait les cheveux :

— Je ne souffre plus. Que tu m'aies soutenu pour mon dernier souffle m'a aidé à quitter ce monde.

— J'aurais tant voulu que tu restes.

— C'était impossible. Mais toi, Benjamin, la vie t'appelle ! Observe le magnifique site que tu as créé. Il est majestueux, toute la beauté de l'univers se retrouve ici.

— Oui, c'est remarquable, tant de beauté, tant de quiétude.

— Benjamin, ma mort t'est apparue comme une montagne. Ça n'a pas été facile de la gravir. Tu as dû travailler fort pour l'escalader et souvent tu es tombé. Mais au sommet t'est apparue cette étendue contenue entre le ciel et la terre jusqu'à l'horizon lointain : l'immensité. Tu es au contact de l'infini, et l'infini présent ici est au contact de ton immensité intérieure. Tu possèdes tout ce dont tu as besoin pour être heureux. Redescends de la montagne et « *Ose ta vie, car toi seul la vivras !* ».

Je sais que ce n'est pas réel, que c'est mon intuition qui fait parler Jasmine. Mes discussions virtuelles avec Jasmine m'ont fait le plus grand bien, comme si c'était elle qui me parlait et m'encourageait à continuer.

Alors que l'Airbus A300 amorçait sa longue descente vers l'aéroport Charles de Gaule, je débutais ma remontée vers le monde qui m'attendait. Il s'était écoulé vingt-cinq semaines depuis la nouvelle catastrophique. Il me restait une demi-saison à jouer, une négociation de contrat avec Sochaux ou encore Barcelone intéressé à moi depuis l'arrivée de Fadel Rhibi.

Le premier match s'est déroulé au stade Bonal face à l'équipe de Bordeaux. Nous occupions le cinquième rang au classement général, Bordeaux le huitième. Nous avons connu un match du tonnerre et la jeune recrue africaine Bourna Dwindinga a enfilé les deux seuls buts du match nous donnant la victoire sur un plateau d'argent. Les articles de la presse du lundi ne porteraient pas sur moi. J'avais bien joué en servant deux passes parfaites à notre jeune recrue. Je me sentais engagé sur une meilleure voie.

J'ai reçu un appel de madame Baron, la grand-mère de Jasmine. Ses copines du lycée organisaient une soirée retrouvailles à la vieille ferme. Elle avait pensé à m'inviter et vérifiait mon emploi du temps. J'étais disponible et heureux d'avoir la chance de rencontrer celles qui avaient côtoyé Jasmine.

La soirée s'est déroulée sous un ciel étoilé. Il y avait une cinquantaine de personnes. Je ne connaissais qu'Alice et monsieur et madame Baron. Nous avons parlé de ma rencontre avec Jasmine, de mon séjour ici, de la complicité que nous avions monsieur Baron et moi, du vélo que j'ai utilisé si longtemps, de toutes nos excursions avec Jasmine. Alice se portait beaucoup mieux et m'a confié que cette soirée représentait le début d'une nouvelle vie. Elle n'a pas manqué de me présenter à toutes ses amies qui me questionnaient sur ma carrière de footballeur, je m'informais sur la leur, sachant très bien que nous recherchions tous la même chose : le bonheur. C'est en parlant de bonheur avec Alice que s'est approchée une très belle femme. Elle a salué Alice et s'est présentée :

— Salut, je m'appelle Olivia.

— Salut, moi, c'est Benjamin.

Elle a paru très amusée :

— Qui ne connaît pas Benjamin Duplessis, le très connu footballeur à l'accent du Québec ?

Que pouvais-je dire ? Je n'ai rien dit.

Avec un air plus sérieux, elle a ajouté :

— Je regrette pour Jasmine. Nous avons été très proches au lycée.

Alice a profité du fait que nous engagions la conversation pour rejoindre un autre groupe.

J'étais curieux de savoir :

— Olivia, ton prénom me dit quelque chose, mais je ne sais pas trop…

— Mon prénom espagnol signifie « paix ». Mais je n'étais pas trop en paix à l'époque.

— Ah, non! Ai-je répliqué en riant.

— Non, je souffrais de dépression et je pense que mon entourage en a beaucoup souffert! Jasmine a été la seule à me visiter régulièrement à l'hôpital.

— À l'hôpital?

— Je ne voulais plus vivre.

J'étais convaincu d'avoir déjà entendu son prénom, mais quand et dans quelles circonstances. Je ne me rappelais pas.

— Elle m'avait écrit une lettre pour me réconforter. Je l'ai apportée. Aimerais-tu que je te la lise?

— Oui, oui, bien sûr!

Elle a déroulé le petit ruban retenant la page parchemin, et a lu: « *Chère Olivia, cette nuit, si tu lèves les yeux vers le ciel, tu y verras suspendues dans l'éternité des millions d'étoiles. La lumière d'une seule pourrait te guider ou t'aider à retrouver ton chemin. Bonne chance.* » La lettre était signée: ton amie Jasmine.

— Ça y est, je me souviens. Elle m'a parlé de toi lorsque nous étions en vacances. Elle voulait écrire un livre à ton sujet !

— Ah oui ?

— Ton témoignage l'avait beaucoup impressionnée.

— Elle ne me jamais parlé d'écrire un livre.

— C'était son projet. Elle aimait écrire. Elle hésitait à t'en parler, je crois.

Sur ces dernières paroles, ses yeux ont semblé chercher une étoile, puis se sont tournés vers moi :

— Est-ce que monsieur le footballeur m'accompagne pour une danse ?

Nous avons dansé jusqu'à tard dans la soirée au même endroit, sous les mêmes lumières qui avaient éclairé ma première soirée avec Jasmine.

— Dis, Olivia, Tu aimes le cinéma ?

— J'adore.

J'ignore si c'est le lieu et les souvenirs qui y étaient attachés. Mais j'ai passé une excellente soirée.

Jusqu'à la fin, Jasmine aura été une étoile. Une étoile filante pour moi, et une étoile repère pour Olivia.